絶対決める！

消防官

高卒程度

採用試験総合問題集

新星出版社

本書の特色と使い方

　自然災害や事故の現場で汗する消防官にあこがれたことのある人も多いのではないでしょうか。また、人の生命を助ける仕事であり、やりがいと誇りを感じる仕事といえるでしょう。

　本書は、消防官になるための学科試験に向けて、どんな問題が出るのかを理解し、基本的な知識を身に付けることができるよう工夫して編集しました。

●どの自治体にも対応

　消防官採用試験は、地方自治体ごとに実施されていますので、統一した試験ではありません。しかし、筆記試験の形式や内容については共通することも多くあります。本書では、どの自治体の試験にも対応できる科目構成で編集しました。

●知識分野は一問一答形式で確実な知識を身に付ける

　実際の採用試験は、多くの自治体が五肢択一式です。したがって、正しい記述または誤った記述を選択するという形式です。簡単なようですが、たいていは紛らわしい選択肢があるために、確実な知識がなければ正答を選ぶことができません。

　また、出題数が多いために、迷っている時間が多いと制限時間内に全問に対応することができなくなってしまうので、あいまいな知識では役に立たない場合があります。

　そこで、本書では、問題文の記述を読み、それが正しい内容かどうかを判断するという形式にしました。問題を解きながら一つ一つの内容の正誤をしっかりと判断できる力を養うことができます。問題番号ごとにチェックボックスを設けましたので、できなかったものには、印をつけておき、繰り返し学習して、知識を自分のものとしましょう。

●知能分野は詳しい解説でじっくり学習する

　消防官採用試験だけでなく、公務員試験では多く出題される判断推理、数的推理については、本試験と同様の形式ですが、解説を詳しくしました。文系の人には苦手としている人もいるかもしれませんが、解説をよく読んで解き方のコツをつかみ、繰り返し学習して問題に慣れるようにしましょう。

　本書は科目ごとに学習できますので、苦手なところを重点的に補強することもできます。また、見開き2ページで構成されていますので、わずかな時間を利用して少しずつ学習することもできます。採用試験に向けて、いつでもどこでも、細切れの時間などを上手に利用して力をつけていきましょう。そして、無事に合格の栄冠を手にされますことをお祈りいたします。

絶対決める！ **消防官**〈高卒程度〉採用試験総合問題集

〈 目　　次 〉

消防官採用試験受験ガイド

消防官の仕事

　消防官は、火災の現場で消火活動を行うだけではなく、台風、火山の噴火、地震による災害などの自然災害や、自動車事故やテロなどの災害において救助や復旧のための活動をしています。また、救急救命活動も私たちにとってなじみのあるところです。さらに、このような事故や災害が起きたときの救助活動だけではなく、これらの事故が発生しないようにする防災活動も消防官の重要な仕事です。

◆東京消防庁が採用にあたって公表している職務内容

（1）火災等の防除・鎮圧、救助、救急等

（2）建物の安全指導、火災予防のための立入検査、危険物施設の安全対策、
　　　防火・防災管理者等への指導、火災原因調査等

（3）都民生活の安全確保、要配慮者の安全確保、消防広報等

（4）消防車両・機器の整備等

（5）震災対策、防災訓練指導、消防水利の整備等

（6）その他消防行政に関する業務

※受験ガイドに関する詳しい情報は、必ず各自治体の消防本部、消防署へご
　自身で確認をしてください。

消防庁の組織

1　100万人が支える消防組織

　消防庁によれば、全国には約700の消防本部と約1700の消防署、約2200の消防団があり、約100万人の消防職員や消防団員が働いています。そして、住民の身近なところでの消防・防災活動にあたり、国民が安全に安心してくらすことができるように日々働いています。

総務省
消防庁

都道府県

市町村
（消防本部／消防団）

地域住民（自主防災組織）

2　救助隊（通称：レスキュー隊）は救助の専門部隊

　増水した川の中州で身動きが取れなくなっている人を助けたり、交通事故の車の中に閉じ込められたり、地震でくずれたがれきの下敷きになっている人を助けるには、特別の訓練と知識が必要になります。そこで活躍するのが、あらゆる危険に対して正しい知識と勇気をもった救助の専門家であるレスキュー隊です。全国約700ヶ所の消防本部に約1400隊が設置されており、隊員は約2万4千人に及びます。連日、厳しい訓練をしながら、緊急時に備えています。

3　世界で活躍する国際消防救助隊

　消防庁では、昭和62年に公布された「国際緊急援助隊の派遣に関する法律」により、地球規模での災害に対応するために国際消防救助隊を組織し海外に派遣してます。国際消防救助隊は、全国の消防本部から選抜された約600名程度の救助隊員で組織されています。隊員は、現場経験を重ね、災害現場での緊急事態に対して的確な判断と行動をすることができる人であり、今後の活躍が期待されています。

◆東京消防庁の採用問合せ先

採用フリーダイヤル→ 0120-119-882（平日8:30〜17:15まで）か、ホームページ→ https://www.tfd.metro.tokyo.lg.jp で確認してください。

消防官になるためには

　消防官の仕事は、災害から人命を守るという重大な使命をおびています。災害現場で活躍する「警防業務」、病人やけが人を病院へ運ぶ「救急業務」、ビルの消防設備を検査したり防災指導を行う「予防業務」など、日夜、防災の最前線で緊急事態に備えています。

　さて、消防官になるためには、まず消防官採用試験に合格しなければなりません。採用試験の内容は自治体によって異なりますので、希望する自治体の消防本部、消防署などへ直接問い合わせてみましょう。受験案内は2～4月頃に配布されている場合が多いので、早めに取り寄せるとよいでしょう。

　なお、東京消防庁では、例年全国の主な都市で採用試験を実施しております。

1　受験資格

（1）日本国籍を有しない人には受験資格はありません。

（2）地方公務員法第16条の欠格条項に該当する人は受験できません。

（3）試験の区分によって学歴と年齢の要件があります。

（東京消防庁2024年度の場合）

　　　Ⅲ類（高校卒業程度）…2003年4月2日から2007年4月1日までに生まれた人

2　採用予定人員

　現在では、男女同枠での採用となっており、東京消防庁の場合、採用予定人員は、Ⅰ類が450名程度、Ⅲ類が310名程度です。ただし、採用人数は、年度によって変動します。

3　試験日と試験地

　一次試験は5月から9月にかけて全国で行われます。試験区分によってそれぞれ試験日、試験地が異なるので注意しましょう。

　東京消防庁の一次試験は例年、Ⅰ類は5月中旬と9月中旬、Ⅲ類は9月中旬に実施されています。
※東京消防庁の採用問合せ先は6ページに掲載

4 試験の内容

　試験は一次試験と二次試験に分かれています。試験の詳細は、自治体によって、また、実施年度によって異なりますが、東京消防庁の場合、それぞれの試験の内容はおおむね次のとおりです。

◆一次試験（筆記試験）

教養試験………　消防官として必要な一般教養について五肢択一の問題45題
　　　　　　　　（試験時間は2時間）
　　　　　　　　知能分野／文章理解、語句の用法、英文理解、数的処理、
　　　　　　　　　　　　　空間概念、判断推理、資料解釈
　　　　　　　　知識分野／人文科学、社会科学、自然科学

作文試験………　課題式で800字〜1200字程度（試験時間は1時間30分）

適性検査………　消防官としての適正について検査します。

◆二次試験（身体・体力検査）＊二次試験は一次試験の合格者が対象です。
　　　　　　　　消防官として職務遂行に必要な身体（四肢関節機能を含む）、体力及び健康度を検査します。また、個人面接による口述試験を行います。

視　力………　視力（矯正視力を含む）が0.7以上、かつ、一眼でそれぞれ0.3以上

色　覚………　石原式色覚検査

聴　力………　オージオメータを使用した純音聴力検査

体力検査………　1km走、反復横とび、上体起こし、立ち幅とび、長座体前屈、握力、腕立て伏せ

その他………　尿検査、胸部X線検査、心電図、血液検査

5 受験手続

　消防本部、消防署等で受験申込書を入手します。郵送による資料請求や、インターネットによる申し込みを受け付けているところもあります。締め切りなどには注意が必要ですので、前もって、必ず消防本部や地元の消防署に問い合わせましょう。

6 合格発表

　試験結果は、多くの自治体で、試験の約2ヶ月後、8月から12月にかけて発表されます。東京都の場合には、消防庁本部で掲示され、ホームページにも掲載されます。また、合否にかかわらず、本人宛に文書で郵送されます。

第1章

絶対決める!

政治

経済

倫理・社会

以下の記述を読み、正しいものには〇、誤っているものには×をつけよ。

問 1
check✓
☐☐☐
著書『リヴァイアサン』のなかで、「人間は自然状態において自由で平等であり、自己の生命を保全するために己の欲するままに自分の力を行使する自由を持つが、それゆえに人間同士の間で相互不信や恐怖が生まれ、万人の万人に対する闘争状態になる」としたのはロックである。

問 2
check✓
☐☐☐
近代市民国家以前から成立していた権利は、自由権である。

問 3
check✓
☐☐☐
議院内閣制では、内閣は国会に対して連帯責任を負うが、これは行政権の行使に違憲性・違法性がある場合、国会の追及を免れないという政治的責任のことを表わしている。

問 4
check✓
☐☐☐
大統領制は、政府が議会多数派の意思に基づいて組織されるため円滑な政治運営が可能になるという長所があるが、行政権と立法権の相互勧奨や癒着が容易に起こるため権力分立の観点からみると問題がある。

問 5
check✓
☐☐☐
アメリカ合衆国では、大統領は議会が可決した法案を拒否する権限を持っている。

問 6
check✓
☐☐☐
憲法改正は、衆参両議院の出席議員の３分の２以上の賛成で発議し、国民投票において過半数の賛成を必要とする。

問1　×　ロックでなく**ホッブズ**の説明である。ロックの主な著書は『統治論二篇（市民政府二論）』であり、彼は、自然状態を自然法に基づく平和な状態であるとして、人間はこの自然法の享受をより確実なものとするために契約を結び政府をつくるが、政府が信託に反したときは**抵抗権**を行使することができるとした。

問2　○　自由権は近代市民国家以前の**絶対主義国家**においても、権力者が人民に対して恩恵的に認めた権利の中心的なものである。近代市民国家成立以降、個人の自由や平等が確立していく過程で、**社会権**や**生存権・団結権・参政権**などが認められていった。

問3　○　行政権の行使に**違憲性・違法性**があるとして、衆議院が内閣不信任決議案を可決した場合、10日以内に衆議院が解散されない限り内閣は**総辞職**しなければならない（憲法69条）。内閣が国会に対して連帯責任を負う議院内閣制の特徴といえる。

問4　×　設問文は**大統領制**ではなく**議院内閣制**の説明である。大統領制の長所は、**行政府と立法府が分立している**ため行政権と立法権の癒着は起こりにくいことである。しかし、議会と大統領の対立が生じた場合などには、効率的な政治運営が難しくなるという短所がある。

問5　○　アメリカの大統領制は、**立法府と行政府の厳格な分離**をその大きな特徴としている。そのため、議会に対して**法律提出権**も議会の解散権も持たない。**拒否権**を行使しなかった法案を執行するのが大統領の役割である。

問6　×　憲法改正の発議には、両議院の**出席議員**ではなく、各議院の**総議員の3分の2以上**の賛成が必要である（憲法96条1項）。国民投票において過半数の賛成が必要であるという記述は**正しい**。現在、憲法改正手続きの改正の動きがあるので注意が必要。

以下の記述を読み、正しいものには〇、誤っているものには×をつけよ。

問7
check✓
□□□
日本国憲法では、国民主権・基本的人権の尊重・平和主義を3大原則としているが、大日本帝国憲法でも、国民主権・基本的人権の尊重については条文上に明記されていた。

問8
check✓
□□□
天皇の国事に関する行為については内閣の助言と承認が必要であるが、天皇は内閣の助言に対し、条件を付することによってそれを拒否することが許される。

問9
check✓
□□□
憲法上の基本的人権は、日本国民だけでなく在日外国人や法人にも保障されるものである。

問10
check✓
□□□
基本的人権は永久不可侵性を持つものであるから、それが制限されることはない。

問11
check✓
□□□
憲法第9条には戦争放棄と戦力の不保持が定められているが、政府は自衛のための必要最小限度の実力保持は憲法で禁止されたものではないと、解釈している。

問7　×　大日本帝国憲法では**主権**および**すべての国家権力**は**天皇**に帰属していた（大日本帝国憲法4条）。また、**国民の権利の保障**は、**天皇**からの恩恵によって与えられた「**臣民の権利**」として「**法律の留保**」という**制限**つきで与えられたものであった（同法2章）。

問8　×　**国事行為**についての天皇の**発議**や**異議**は認められず、**内閣の助言と承認**に絶対的に拘束されるため（憲法3、4、7条）、天皇は助言を**拒否**できない。

問9　○　基本的人権は「**人間が当然に有する権利**」であることから、判例は、参政権など権利の性質上日本国民のみをその対象としていると解されるものを除き、わが国に在留する**外国人**にも基本的人権は等しく及ぶとしている（マクリーン事件、最大判昭53.10.4）。また、**法人**についても「性質上可能な限り、内国の**法人**にも適用されるものと解すべきである」との判例がある（八幡製鉄事件、最大判昭45.6.24）。

問10　×　基本的人権は「侵すことのできない**永久の権利**」（憲法97条）として保障されているが、このことは基本的人権の保障が**無制約**なものであるということを意味するものではない。基本的人権の主張や行使が**他人の人権**を侵害する場合もあり得るからである。憲法では、国民が「**公共の福祉に**」反しない限り、**人権**を最大に尊重すると規定している（同法13条）。

問11　○　現在では、憲法第9条は自衛権を否定していないという解釈が通説になっている。政府は当初、**自衛権**の発動としての**戦争**と**交戦権**を放棄としていたが、2015年9月、集団的自衛権の行使を認める安保法案が成立した。

以下の記述を読み、正しいものには〇、誤っているものには×をつけよ。

問12
check✓
□□□
民主的手続きによって国民から選ばれた政府や議会を通して、軍隊を最終的に統制することをシビリアンコントロールという。内閣総理大臣が自衛隊の最高指揮監督権を持っていることなどがその具体例である。

問13
check✓
□□□
社会環境の急激な変動により、プライバシーの権利・知る権利・環境権などの新しい人権の確立が求められるようになったが、これらの権利はいまだに憲法上明文の規定がない。

問14
check✓
□□□
国会議員は法律の定める場合を除いて、国会の会期中は逮捕されない。

問15
check✓
□□□
臨時国会は、衆議院の解散中、国に緊急の必要があるときに内閣の要求により開かれる。

問16
check✓
□□□
参議院の緊急集会には会期の定めはなく、緊急の案件がすべて議決されたとき、議長が終会の宣言をする。

問 12　○　憲法は、内閣総理大臣およびその他の国務大臣は文民でなければならないと規定している（憲法 66 条 2 項）。したがって、内閣総理大臣が自衛隊の最高指揮監督権を保持していることは、シビリアンコントロールに直結するものである。

問 13　○　1947 年に施行された日本国憲法は、これまで一度も憲法改正を受けていない。したがって、新しい人権が憲法に新たに規定されたことはないため、正しい。

問 14　○　憲法は「両議院の議員は、法律の定める場合を除いては、国会の会期中逮捕されず、会期前に逮捕された議員は、その議員の要求があれば、会期中これを釈放しなければならない」としている（憲法 50 条）。「法律の定める場合」の例としては、国会法 33 条の、①院外における現行犯逮捕の場合、②会期中その院の許諾がある場合が挙げられる。この場合は、国会会期中であっても国会議員の不逮捕特権は認められない。

問 15　×　臨時国会とは、内閣が必要と認めたとき、または、いずれかの議院の総議員の 4 分の 1 以上の要求があったときに召集される国会のことをいう（憲法 53 条）。衆議院の解散中、国に緊急の必要があるときに内閣の要求により開かれるのは、参議院の緊急集会である（憲法 54 条 2 項但書）。

問 16　○　正しい（国会法 102 条の 2）。また、緊急集会でとられた措置はあくまで臨時のものであるため、次の国会開会の後 10 日以内に衆議院の同意がない場合には、将来に向かって効力を失うとされている（憲法 54 条 3 項）。

問　題

以下の記述を読み、正しいものには〇、誤っているものには×をつけよ。

問17 check✓ □□□ 衆議院が解散した場合には、解散の日から40日以内に選挙をして、選挙の日から10日以内に特別国会が開かれなければならない。

問18 check✓ □□□ 予算について、参議院で衆議院と異なった議決をした場合に、両議院の協議会を開いても意見が一致しないときは、衆議院の議決が国会の議決となる。

問19 check✓ □□□ 法律案について、衆議院で可決し参議院でこれと異なった議決をした場合、衆議院は両院協議会を開かなくても同院出席議員の3分の2以上の多数で再可決すると、法律として成立する。

問20 check✓ □□□ 衆議院議員の任期満了に伴う総選挙のあと再び同一人が内閣総理大臣に任命される見込みがある場合、内閣は総選挙後30日以内に召集される国会で総辞職する必要はない。

問21 check✓ □□□ 衆議院で内閣不信任案が可決された場合、10日以内に衆議院が解散されない限り内閣は総辞職しなければいけないが、参議院の内閣不信任案可決は同様な法的効果を有しない。

問 17　×　衆議院が解散した場合、解散の日から 40 日以内に衆議院議員の総選挙を行わなければならず、選挙後初めて開かれる国会を特別国会という記述は正しい。しかし、特別国会は選挙の日から 10 日以内ではなく、30 日以内に召集されなければならないものであるため、この点で誤り（憲法 54 条 1 項）。

問 18　○　法律案の議決と異なり、予算の議決・条約の承認・内閣総理大臣の指名の 3 つは、参議院が衆議院と異なった議決をした場合、必ず両院協議会を開かなければならず、両院協議会でも意見が一致しないときは、衆議院の議決が国会の議決とされる（憲法 60 条 2 項、61 条、67 条 2 項）。予算の議決や条約の承認、内閣総理大臣の指名は、早期に確定しないと国政が渋滞したり国際関係に支障をもたらすおそれがあるため、両議院の意見の不一致による不成立を避け、すみやかに議案を成立させることにしているのである。

問 19　○　法律案について両議院が異なった議決をした場合には、衆議院が出席議員の 3 分の 2 以上で再可決をすることによって、法律案を成立させることができる（憲法 59 条 2 項）。このとき両院協議会の開催は任意である。

問 20　×　衆議院の解散の場合でも、任期満了に伴う解散の場合でも、内閣に対する国会の信任の基礎が異なる以上、内閣は総辞職しなければならない（憲法 69 条、70 条）。

問 21　○　解散・総辞職という効果を伴う内閣に関する信任・不信任の議決権は、衆議院のみが有する（憲法 69 条）。参議院が独自の判断で内閣不信任決議を行うことは可能であるが、それは衆議院のような法的効果は認められない。区別して「問責決議」と呼んでいる。

問　題

以下の記述を読み、正しいものには〇、誤っているものには×をつけよ。

問22
check✓ ☐☐☐
内閣は、内閣総理大臣および国務大臣で構成されているが、その全員が国会議員でなければならない。

問23
check✓ ☐☐☐
内閣総理大臣の権限には、参議院の緊急集会の要求、国務大臣の任免権、一般国務および外交関係の国会への報告、行政各部の指揮監督、在任中の国務大臣の訴追についての同意権がある。

問24
check✓ ☐☐☐
裁判官は、有形無形の外部の圧力や誘惑に屈せず、常に自己内心の良識と道徳観に従い、自ら正しいと信じるところに従って裁判をしなければならない。

問25
check✓ ☐☐☐
司法権は最高裁判所と下級裁判所に属するため、裁判官の弾劾裁判を行う裁判所をこれらの裁判所以外の組織に置くことは許されない。

問26
check✓ ☐☐☐
最高裁判所がある法律を違憲と判断した場合でも、国会において衆議院議員の総議員の3分の2の多数でその判断を破棄することができる。

問27
check✓ ☐☐☐
簡易裁判所で行った民事事件の判決に不服である場合、三審制によって高等裁判所へ控訴することができる。

問22　×　内閣総理大臣は国会議員の中から国会の議決で指名される（憲法 67 条 1 項）。国務大臣は内閣総理大臣が任命をするが、全員が国会議員でなければならないわけではなく、国会議員である必要があるのはその過半数である（憲法 68 条 1 項）。

問23　×　参議院の緊急集会を要求する権限は、内閣総理大臣ではなく内閣のものである（憲法 54 条 2 項）。内閣総理大臣の権限と内閣の権限は混同してしまう傾向があるため、注意が必要である。

問24　○　憲法には「すべて裁判官は、その良心に従ひ独立してその職権を行ひ、この憲法及び法律にのみ拘束される」（憲法 76 条 3 項）とある。

問25　×　弾劾裁判所は、両議院の議員で組織されることが認められている（憲法 64 条）。本来、憲法は法の下の平等を実現するために、司法裁判所以外の特別裁判所の設置を禁止している（憲法 76 条 2 項）。だが、民主的統制の観点からは、不適格な裁判官を排除するシステムが必要となる。そこで、憲法自身が例外として認めた特別裁判所が弾劾裁判所なのである。

問26　×　司法府である裁判所が下した判断に対して、立法府である国会が介入してこれを覆すことはできない。そのような行為は司法権の独立を侵害するため認められないのである。

問27　×　簡易裁判所の民事事件判決が不服な場合に控訴できるのは、高等裁判所ではなく地方裁判所である。一方、簡易裁判所で行ったのが刑事事件の場合には、その判決が不服である場合、高等裁判所へ控訴することができる。また三審制とは、裁判を慎重に行い誤った判決を避けるために、3 回裁判を受ける機会が与えられている司法制度をいう。

以下の記述を読み、正しいものには〇、誤っているものには×をつけよ。

問28
check✓
□□□
最高裁判所の裁判官には任期はないが、下級裁判所の裁判官には任期がある。

問29
check✓
□□□
最高裁判所長官は、内閣の指名に基づいて天皇が任命し、それ以外の裁判官は内閣が任命することになっている。

問30
check✓
□□□
最高裁判所裁判官は国民審査によって罷免される場合があるが、下級裁判所裁判官が国民審査に服することはない。

問31
check✓
□□□
陪審制度は、国民の中から選ばれた一般の人々が裁判の審理に参与する制度をいう。日本では1923（大正12）年に陪審法が制定されて以来、刑事事件のみ現在も採用され続けている。

問32
check✓
□□□
下級裁判所も違憲判断をすることができるが、この場合、上級機関である最高裁判所の許可が必要である。

問33
check✓
□□□
ある法令について違憲判決が出されても、当然法令自体が無効になるものではない。

問34
check✓
□□□
地方自治は、民主主義的要素が強い団体自治と、自由主義的要素の強い住民自治という2つの原理に基づいて行われている。

問28　○　最高裁判所裁判官には任期はなく、法律の定める年齢に達したときに退官する（憲法79条5項）。その年齢は70歳である（裁判所法50条）。下級裁判所裁判官には10年の任期がある（憲法80条1項）。

問29　○　裁判官の中で、最高裁判所長官だけは、天皇が任命すると定められている（憲法6条2項）。

問30　○　国民審査は最高裁判所裁判官に対して行われるものである（憲法79条2項）。

問31　×　陪審制度の説明は正しい。また1923年に陪審法が制定されたのも事実であるが、1943年に停止された。なお、2009年に開始された国民が裁判に参加する制度は、裁判員制度である。

問32　×　下級裁判所も、事件を解決するために必要不可欠な範囲で、司法権の行使に付随して、当然に違憲審査権を行使できると解するのが判例である（最大判昭25.2.1）。したがって、最高裁判所の許可を必要とするという記述は誤り。

問33　○　違憲判決の効力については、法令を一般的に無効とするものではなく、当該事件においてその法律の適用を排除する効果を持つに留まる（個別的効力説）と解するのが多数説である。

問34　×　民主主義的要素が強いのは住民自治である。住民が直接または代表者を通じて地方の公共事務を処理するという、住民自身に自治権があることを強調する原理を住民自治という。一方、自由主義的要素が強いのは団体自治である。地方公共団体が国の干渉を受けずに、独立して地方行政を行うという原理を団体自治という。

以下の記述を読み、正しいものには○、誤っているものには×をつけよ。

問 35
check✓
□□□
都道府県および市町村を普通地方公共団体といい、これに対して、東京都 23 区のような特別区や地方公共団体の仕事の一部を共同して処理するために設けられる一部事務組合などを特別地方公共団体という。

問 36
check✓
□□□
地方公共団体の長の被選挙資格は、当該地方公共団体の住民でなければならない。

問 37
check✓
□□□
一の地方公共団体のみに適用される特別法の制定には、住民投票において 3 分の 1 以上の同意が必要である。

問 38
check✓
□□□
オンブズマン制度とは、行政から独立した地位と権限をもつオンブズマンによって、公務員の違法行為を監視・摘発したり、行政に関する国民・市民の苦情の解決を図るものである。

問 39
check✓
□□□
行政権の肥大化とは、内閣提出法案に比べ、議員提出法案のほうが圧倒的に多いことにみられるような状況をいう。

問35 ○　妥当である。また、人口50万人以上の市で、政令によって指定された都市を政令指定都市という。市民生活と直結した事務や権限が都道府県から委譲され、行政区を設けることができるなど普通の都市とは異なった取扱いが認められる。

問36 ×　地方自治法は、日本国民で年齢満30歳以上の人は都道府県知事の被選挙権を持っており（同法19条2項）、満25歳以上の人は市町村長の被選挙権を持っている（同法19条3項）と規定しているが、居所要件は課していない。

問37 ×　住民の投票において3分の1以上の同意では足りず、過半数の同意を必要とする（憲法95条）。地方自治では直接民主制を原理としているため、この住民投票（レファレンダム）や、そのほか条例の制定改廃請求権（イニシアチブ）、議会の解散請求権・長や議員の解職請求権（リコール）を認めている。

問38 ○　オンブズマン制度は、1809年にスウェーデンで設けられたのが最初で、現在では欧米を中心に30ヵ国以上で採用されている。日本では、国政レベルではまだ実施されていないが、地方では1990年川崎市で「市民オンブズマン条例」が施行され、日本で初めてこの制度が導入された。

問39 ×　19世紀後半以降、急激な産業発展に伴って様々な労働問題や社会問題が噴出し、行政機構は飛躍的に拡大をせまられた。つまり行政権の肥大化とは、行政権が立法権に優越するような現象をいうため誤り。

以下の記述を読み、正しいものには〇、誤っているものには×をつけよ。

問 40
check✓
☐☐☐
政治的無関心は伝統型無関心と現代型無関心とに分けられるが、現代型無関心とは、政治参加の機会が制度的に保障されているにもかかわらず、政治についての教育が不十分なために政治への関心を失っている状態のことをいう。

問 41
check✓
☐☐☐
政党とは、特定の政治上の理想・意思・要求などを実現するために結成された政治集団であり、常に政権を獲得し維持しようと行動する。

問 42
check✓
☐☐☐
利益集団が選挙の際に候補者を応援し選挙資金を調達するのは、政党と同様に究極的には政権獲得を目的としているためである。

問 43
check✓
☐☐☐
労働三法とは、労働基準法・労働関係調整法・労働組合法の3つである。

問 44
check✓
☐☐☐
労働基準法には、実働1日8時間、週40時間を超えて労働させてはならないことが定められている。

問 45
check✓
☐☐☐
普通選挙とは、衆参両議院・都道府県・市町村の長および議員の選挙を総称したものをいう。

問40　×　政治的知識が不十分なために政治的無関心になっているというのは、伝統型無関心に当てはまることである。現代型無関心とは、政治的知識が十分にありながらも主体的行動を起こそうとしない、政治的に冷淡な態度をいう。

問41　○　政党とは、第一義的には政権の獲得あるいは参与をその最大の目的とする政治集団のことである。したがって、現代のような議会制民主主義のもとでは、政党は議会で多数の議席を持つことを活動の大きな目標にしているのである。

問42　×　政党も利益集団も、政策決定に影響を及ぼす集団である点で共通しているが、政権の獲得を目的としているか否かに相違点があり、利益集団はこれを目的としていない。利益集団は、あくまで自己の主張する利益を個別的な政策によって達成しようとする集団である。

問43　○　日本国憲法で、勤労権（27条）、団結権・団体交渉権・団体行動権の労働三権が規定された（28条）のを受けて、1945年に労働組合法、46年に労働関係調整法、47年に労働基準法が相次いで制定され、この3つの法律を労働三法という。

問44　○　労働基準法32条に規定されている。労働基準法は、それ以外に、年少労働者を保護するために満18歳未満の者の深夜労働を原則的に禁止している。

問45　×　普通選挙とは、一定の年齢に達した者ならば、財力や信仰・人種・性別等を選挙権の要件とせず、全員が平等に選挙権・被選挙権を有するという制度をいう。日本では1925（大正14）年の衆議院議員選挙法改正で、初めて男子につき実現し、女子は第二次世界大戦後の1945（昭和20）年に認められた。

以下の記述を読み、正しいものには〇、誤っているものには×をつけよ。

問46 小選挙区制度の特徴は、大政党に有利にはたらき二大政党制の確
check☑ 立による政治の安定を促進することができる反面、全国的に散在
するような小政党には不利にはたらくことが挙げられる。

問47 現在わが国の衆議院議員選挙は、1選挙区から2〜3人の議員
check☑ を選出する定数289の中選挙区と、全国を1つの単位とする定
数176の比例代表選挙の並立制によって行われている。

問48 選挙運動は候補者の人柄・識見・政策提言などを知り、有権者が
check☑ 的確な判断をするための重要な手段であるため、日本でも選挙運
動は自由に開放されている。

問49 連座制とは、候補者本人でなくても悪質な選挙違反によって有罪
check☑ となった場合、候補者の当選が無効になる制度で、適用されると
候補者の当選が無効となるだけでなく、候補者本人に以後立候補
の制限が課せられることとなる。

問50 冷戦とは、武力を全く用いず、経済・外交・情報などを手段とし
check☑ て行った、第二次世界大戦後のアメリカを中心とする資本主義陣
営と、ソ連を中心とする社会主義陣営との激しい国際的対立抗争
をいう。

問 46　○　小選挙区制は、1選挙区から1名の議員を選出する選挙制度である。選挙区有権者の最多数の支持を得ることが必要なため大政党に有利であるが、投票した候補者が落選して議席に反映されなかった死票が増大するという特徴が挙げられる。

問 47　×　現在わが国の衆議院議員選挙で採用されている選挙制度は、中選挙区制ではなく、小選挙区比例代表制である。1選挙区から1名の議員を選出する定数289の小選挙区と、全国を11のブロックに分けて選出する定数176の比例代表選挙の並立制で行われている。

問 48　×　日本では、選挙運動を自由に開放すると、買収などの不正行為が蔓延するなど、公平・公正さが失われるといった判断から、戸別訪問や署名運動、文書図画の頒布（限定）は禁止されている（公職選挙法138条、138条の2、142条）。特に戸別訪問の禁止は他国にもほとんどみられない規定であり、欧米諸国では有権者が候補者の人物を直接知るための重要な機会として許容している国が多い。なお、インターネット選挙運動は2013年に解禁された。

問 49　○　この連座制は、1994年の公職選挙法改正により強化が図られた。改正前までは、選挙の総括主催者・出納責任者・地域主催者が選挙違反行為で有罪となった場合のみ候補者の当選が無効となったが、改正によって対象範囲も立候補者の秘書や組織的運動管理者に拡大されることとなり、また、適用された場合は、同一選挙区からの立候補が5年間禁止される（公職選挙法251条の2）。

問 50　×　冷戦では確かにその名のとおり、当事国であるアメリカと旧ソ連が直接戦火を交えることはなかった。しかし朝鮮戦争（1950〜53）・ベトナム戦争（1960〜73）にみられるように代理戦争は行われたため、「武力を全く用い」なかったという記述は誤り。

以下の記述を読み、正しいものには〇、誤っているものには×をつけよ。

問 51
check✓
□□□
WTO（ワルシャワ条約機構）は、東西冷戦の激化に伴い、共産主義勢力に対抗する目的で 1949 年に、アメリカ・カナダおよび西ヨーロッパ諸国が結成した集団安全保障機構である。

問 52
check✓
□□□
国際法は国際慣習法と条約とに分けられるが、どちらも世界中すべての国に効力を発揮するものである。

問 53
check✓
□□□
国際連盟には、国家間の紛争を国際法に基づく司法的解決により調停するための機関が存在せず、平和的に解決できたであろう紛争も武力衝突にいたってしまっていた。その反省に基づき、国際連合には国際司法裁判所が設置された。

問 54
check✓
□□□
国際連合の安全保障理事会は、全会一致の原則により、常任理事国、非常任理事国の 1 国でも反対すると議決できない。

問51　✕　ワルシャワ条約機構ではなく、NATO（北大西洋条約機構）の説明である。ワルシャワ条約機構は、NATOに対抗するためにソ連を中心とした東側勢力が1955年に結成させた集団安全保障機構であり、冷戦終了後の1991年に解体した。NATOは冷戦終了後、その性格を大きく変えながら現在も存続している。

問52　✕　国際慣習法は国家間の長年にわたる慣行が法としてみなされるようになった不文法であり、世界中すべての国に効力を発揮するものである。しかし条約は、国家間の合意を文書にした成文法であり、それを締結した国家間でのみ効力を持つものである。

問53　✕　国際連盟にも、その主要機関の1つとして常設国際司法裁判所が設置されており、国家間の紛争に対する司法的解決が図られていた。現在国際連合に設置されている国際司法裁判所は、この国際連盟時代の常設国際司法裁判所の後身機関である。常設国際司法裁判所の判決には強制力はなかったが、国際司法裁判所の判決には強制力があり、当事国の一方が判決に従わない場合、他方の当事国が安全保障理事会に訴えることができる。

問54　✕　安全保障の意思決定は、全会一致ではなく、大国一致を原則とする多数決制によって行われる。常任理事国の地位にあるアメリカ・イギリス・フランス・中国・ロシアの5大国には拒否権が与えられており、1国でも拒否権を行使すると決議は成立しない。これは、大国間の意見が一致しなければ国際平和を維持することは困難であるという現実的な配慮による。

問 55
check✓
□□□

選挙に関する次の記述のうち、正しいものはどれか。

1 小選挙区制では、選挙制度が小政党に有利にはたらくため、政党の総数は増大する。

2 小選挙区制は大統領制をとる国に多く、比例代表制は議院内閣制をとる国に多いという特徴がある。

3 比例代表制は 1 選挙区 1 名の議員選出となるので、同一政党の候補者による同士討ちがなく、政策が争点になりやすい。

4 小選挙区制とは 1 選挙区から 1 名の議員を選出するもので、死票が最大化するという特徴を持つ。

5 日本では日本国憲法制定とあわせて普通選挙法が制定され、1946 年に第 1 回の普通選挙が行われた。

問55　正解　4

　選挙制度の種類とその相違点を問う問題は多いため、特に出題の多い小選挙区制と比例代表制の特徴はしっかりおさえておきたい。

◆小選挙区制：1選挙区から1名を選出

長所：①同一政党の候補者による同士討ちがなく、政策が争点になりやすい。②選挙区が小さくなるため、有権者と候補者の相互理解が進む。③二大政党制が形成されやすい。

短所：①死票が最も多くなるため、議会に反映されない民意が多くなる。②小政党の議会への進出が阻害される。③激しい選挙戦となり、不正が起きやすい。

◆比例代表制：政党に投票し、各政党の得票数に比例して議席を配分

長所：①死票が最も少ないため、民意を最も正確に反映できる。②小政党でも議席を確保できる可能性が高くなる。

短所：①小党分立になる傾向があるため、連立政権がおこりやすく、政権が不安定になりがち。②制度が複雑でわかりにくい。また顔の見えない選挙になる。③候補者選考の過程で政党幹部の力が過大になる。

1　×　小選挙区制ではなく比例代表制の説明である。

2　×　議院内閣制のイギリスでも小選挙区制をとっているように、このようなことはいえない。

3　×　比例代表制ではなく、小選挙区制の説明である。

4　○　正しい。

5　×　普通選挙法が制定されたのは1925年のことである。この法律によって選挙権の財産資格が撤廃され、日本で初めて、制限選挙ではない、一定の年齢以上の男子に平等に選挙権を認める普通選挙が行われるようになった。1946年に行われた総選挙は、1945年に改正された公職選挙法による男女普通選挙である。

問56
check✓

次のア〜キのうち、内閣総理大臣の職務に当てはまるものの組み合わせとして正しいものはどれか。

ア　一般国務および外交関係について、国会に報告すること。
イ　条約を締結すること。
ウ　予算を作成して国会へ提出すること。
エ　恩赦を決定すること。
オ　参議院の緊急集会を求めること。
カ　行政各部を指揮監督すること。
キ　議案を国会に提出すること。

1　ア　　オ　　カ
2　ア　　カ　　キ
3　イ　　ウ　　キ
4　ウ　　エ　　カ
5　ウ　　オ　　カ

問56　正解　2

　内閣と内閣総理大臣の職務については、憲法に規定されている。整理すると次のとおりである。

◆内閣の職務

　①法律を執行する。

　②外交関係を処理する。

　③条約を締結する。

　④官吏に関する事務を掌理する。

　⑤予算を作成して国会に提出する。

　⑥政令を制定する。

　⑦大赦、特赦、減刑、刑の執行の免除及び復権を決定する。

　⑧天皇の国事行為に対しての助言と承認をする。

　⑨最高裁判所長官の指名をする。（任命は天皇の国事行為である。）

　⑩最高裁判所長官以外の裁判官を任命する。

　⑪国会の召集や衆議院の解散を決定する。

◆内閣総理大臣の職務

　①国務大臣を任免することと、罷免すること。なお、国務大臣の過半数は国会議員でなければならない。

　②議案を国会に提出する。

　③一般国務や外交関係について国会へ報告する。

　④行政各部の指揮監督をする。

　⑤法律・政令に連署する。

　以上より、内閣総理大臣の職務にあたるのは、ア、カ、キである。よって、2が正解となる。

経　済

以下の記述を読み、正しいものには○、誤っているものには×をつけよ。

問1
check✓
□□□
経済循環とは、消費の主体である家計・生産の主体である企業・財政活動で生産と消費の主体となる政府の3つの経済主体が、貨幣を媒介として相互に結びついていることをいう。

問2
check✓
□□□
ビルトインスタビライザーとは、市場において、需要者と供給者とが自由にかけ引きをする結果、市場価格が自然に決定することである。

問3
check✓
□□□
市場での自由な取引きに任せていたのでは望ましい最適な資源配分が実現されない状況に陥ってしまうという状態を「市場の失敗」という。

問4
check✓
□□□
カルテルとは同一業界の大企業同士が合併したり、大企業が中小企業を吸収したりして大規模化し、価格支配と独占利潤の確保を目指すものをいう。

問5
check✓
□□□
地方自治体のほとんどが、自主財源で運営されているが、財源の不足している団体には、国庫支出金や地方交付税交付金で補っている。

問1　○　正しい。3つの経済主体は、一方では財・サービスの流れによって、他方では所得や税金によって、貨幣を媒介に相互に密接なつながりを持っている。

問2　×　設問文の内容は、アダム・スミスが「神の見えざる手」と称した価格の自動調整作用の説明である。ビルトインスタビライザーとは、景気変動をある程度自動的に抑制し、経済を安定化させるはたらきを持つ財政制度の機能のことをいう。好況時に増え不況時に減る累進課税の所得税や、逆に好況時に減り不況時に増える失業保険給付などがその典型である。

問3　○　市場の自由な取引きに任せておけば、「神の見えざる手」に導かれて個々の利益と公益が調和すると主張し、自由放任を説いたのはアダム・スミスであったが、実際には市場機能は万能ではなく、うまく機能せずに限界を露呈することがある。これを「市場の失敗」という。市場の失敗は、具体的には、独占や寡占が生まれ価格が高く設定されたり十分な量が供給されないという問題、市場機能だけでは的確で十分な公共財が提供され得ないという問題などのことである。

問4　×　設問文の内容はカルテルではなくトラスト（企業合同）の説明である。カルテル（企業連合）とは、同一業種の企業間で価格や生産量・販売地域などを協定し、価格維持を図ることで独占利潤を確保しようとする独占形態である。

問5　×　地方財政については、しばしば「三割自治」という表現が使われるが、これは国税に対する地方税の割合が全体の3割程度しかなく、財源の多くを国に依存していることを指し示すものである。なお、国から地方へ拠出される資金については、その使途が特定されていない地方交付税交付金や、使途が特定されている国庫支出金などがある。

以下の記述を読み、正しいものには〇、誤っているものには×をつけよ。

問6
check✓
☐☐☐
国債の発行は国の財政不足を補うための方法であるが、わが国では比較的容易に発行できるため近年では財政を圧迫しはじめ、法律で禁止されるようになった。

問7
check✓
☐☐☐
間接税とは、法律上の納税義務者と、実際に租税を負担する者とが一致しない租税のことをいい、累進課税方式で徴収されている。

問8
check✓
☐☐☐
現在わが国では、通貨とともに、わが国唯一の中央銀行である日本銀行が発行する兌換銀行券が同時に流通している。

問9
check✓
☐☐☐
貨幣には様々な機能があるが、最も本質的な機能としては、等価値の財貨・サービスなどの交換の仲立ちの役割をすることが挙げられる。

問10
check✓
☐☐☐
間接金融とは、資金を必要とする企業が株式や社債などの有価証券を発行し、市場から資金を調達することをいう。

問11
check✓
☐☐☐
日本銀行が「銀行の銀行」と呼ばれるゆえんは、日本銀行の政策には全銀行が同調しなければならないからである。

問6　✕　わが国では 1947 年に制定された財政法 4 条により、原則として特例（赤字）で国債の発行は禁止されている。ただし、「公債特例法」に基づき発行される余地は残されている。実際には、1975 年からほぼ毎年発行されている状況である。

問7　✕　設問文の前半は正しいが、間接税は、累進課税ではなく、課税対象に一定の税率をかける課税方法をとっている。

問8　✕　兌換銀行券とは、いつでも券面に記載された金と交換できる銀行券のことをいう。現在日本銀行が発行している日本銀行券は、発行者が金への兌換義務を負わないものであり、これを不換銀行券という。

問9　〇　貨幣は、紀元前 7 世紀に小アジアのリディア王国で発明され、古代ギリシアに広まった。もともと商品の交換を媒介するものとして考案されたものであり、貨幣の二大機能とは商品の交換の仲立ちをする交換機能と、商品の価値をはかる価値の尺度機能であった。その後この貨幣を利用していく過程で、価値貯蔵手段・支払手段・営利手段としても使われるようになっていった。

問10　✕　設問文の内容は、間接金融ではなく直接金融の説明である。金融とは資金の貸し借りのことをいい、資金を必要とする企業が株式や社債発行により資金の提供者から直接資金を調達する直接金融と、資本を必要とする企業や個人が銀行等金融機関を通じて間接的に資金を調達する間接金融の 2 つに区分される。

問11　✕　日本銀行が「銀行の銀行」と呼ばれるゆえんは、日本銀行だけが市中銀行に資金を貸し付けたり、市中銀行の預金の一定割合を準備預金として預かったりする銀行だからである。

以下の記述を読み、正しいものには〇、誤っているものには×をつけよ。

問12
 check✓
 □□□　日本銀行が有価証券を売買することで通貨量の調整を行うことを公開市場操作というが、景気が過熱気味で物価の上昇が懸念されるときには、買いオペレーションによって景気を金融面から冷やす政策を実施することが多い。

問13
 check✓
 □□□　銀行は国民から広く預金を集め、これを産業資金として企業に供給している。その際、銀行は受け入れた預金の何倍もの貸出しを行っているのだが、これは銀行の信用創造と呼ばれるはたらきによるものである。

問14
 check✓
 □□□　支払準備率操作とは、市中銀行が受け入れた預金の一定割合については中央銀行に預け入れるよう義務づけ、この割合を中央銀行が政策的に変更することをいうが、本来、預金者保護制度であったものが、市中銀行の資金量を調節する手段となったものである。

問15
 check✓
 □□□　現在わが国では、金との兌換を保証している国の外国為替については、日本銀行が自国通貨と一定の交換率で売買することを保証している。

問16
 check✓
 □□□　日本銀行は市中銀行が預託している準備率の変更を通して、銀行の資金貸付量を調節する。景気が停滞しているときは、景気を浮揚させる目的で準備率を引き下げることが多い。

問 12　×　買いオペレーションとは、中央銀行が市場から債券を買い入れることによって通貨の放出を図る操作のことである。これは金利引下げの効果を持つことから、金融を緩和し景気を浮揚させる際に行われる公開市場操作である。したがって、設問文のように景気の過熱を冷ましたい場合は、買いオペレーションではなく、売りオペレーションをすることが多い。

問 13　○　銀行は新たに預金を受け入れると、預金の一定割合を支払い準備金として中央銀行に預け、残りを貸し出す。貸し出された資金は借り入れた企業の支払いにて、代金を受け取る側の指定する銀行に振り込まれる。その振込みを受けた銀行は支払い準備金にあてた残りを貸し出す。このような行為が繰り返されると、銀行全体としての貸出額は当初の預金額を上回る額になるのである。

問 14　○　支払準備率操作は、元来、市中銀行の過剰貸出しに伴って預金者の預金引出しができなくなるのを回避するための預金者保護策であったものが、市中銀行の資金量調節を通じての金融政策として機能するようになったものである。

問 15　×　設問文は、金・ドル本位制に基づく固定相場制についての記述であるが、現在日本では変動相場制が採用されているため誤り。金・ドル本位制とは、金またはこれと等価で交換されるドルを価値尺度とする制度のことである。

問 16　○　一方、景気が過熱しているときは、準備率を引き上げることが多い。なお、金利の自由化以降、公定歩合は政策金利としての意味を持たなくなった。名称も「基準割引率および基準貸付利率」に変更された。

問 題

以下の記述を読み、正しいものには〇、誤っているものには×をつけよ。

問17
check✓
□□□
海外で収入を得た日本人や日本企業がお金を日本へ送金した場合、その金額はGDPには計上されるがGNIには計上されない。GDPは国民を基本とした指標であり、GNIは国内を基本とした指標である。

問18
check✓
□□□
景気変動は、周期の長短やその原因によっていくつかの波動にとらえることができる。最も一般的なものは、約10年の周期で変動を繰り返すジュグラーの波である。

問19
check✓
□□□
ディマンドプルインフレとは、ある企業の中で労働費用や原材料費などの生産費用が上昇した場合、企業がその上昇分を商品価格に転嫁することで発生するインフレーションのことをいう。

問20
check✓
□□□
スタグフレーションとは、経済全体の規模が縮小して需要が減り続け、その結果として物価が下がり続けていくことをいい、景気後退や不況に結びついてゆく。

問 17　×　GNI と GDP が逆になっている。GNI とは国民総所得（Gross National Income）の略称で、「国民」が提供した資本や労働などの生産要素を用いて一定期間に生産されたすべての財・サービスの付加価値を合計するものである。つまり、生産される場所が国内でも海外でも、日本人の所得であれば GNI に計上される。一方 GDP とは国内総生産（Gross Domestic Product）の略称で、「国内」において一定期間に生産されたすべての財・サービスの付加価値を合計するものであるため、日本人でも外国人でも、日本国内で生産された付加価値は GDP に計上される。

問 18　○　景気変動は回復・好況・後退・不況という 4 つの局面が繰り返されることで起こっているが、周期（サイクル）の長短やその原因などによって、いくつかの波動にとらえることができる。最も一般的なものが設問文のジュグラーの波であり、このほか、周期が約 40 ヵ月のキチンの波、約 20 年のクズネッツの波、約 50 年のコンドラチェフの波がある。

問 19　×　設問文の内容は、コストプッシュインフレの説明である。インフレーションは、発生原因から 2 つに分類することができる。供給側が費用上昇を価格転嫁することで起こるコストプッシュインフレ（費用インフレ）と、需要の増加に供給が追いつかないために起こるディマンドプルインフレ（需要インフレ）である。

問 20　×　設問文の内容は、デフレーションの説明である。スタグフレーションというのは、不況下でインフレーションが起こる状況をいう。かつては、景気の停滞と物価上昇とは同時に起こりえないものとされていたが、1970 年代に入ると、景気が停滞しているにもかかわらず、物価が上昇し続ける状況が先進国でみられるようになり、スタグネーション（景気停滞）とインフレーション（物価上昇）の合成語としてスタグフレーションと呼ばれるようになった。

以下の記述を読み、正しいものには〇、誤っているものには×をつけよ。

問21
check✓
□□□
インフレーションとは物価の持続的な上昇のことをいうが、インフレーションが激しくなると貨幣に対する社会的信頼がうすれ、貨幣を財貨に変えようとする人が増加するため、物価高騰がさらに進むことになる。

問22
check✓
□□□
1980年代後半から1990年代にかけて、日本に発生したバブルという現象は、大幅な貿易黒字を計上する一方、有力な投資先が国内にないことから、大量の資本が外国の国債や株を購入するために国外へ流出したものをいう。

問23
check✓
□□□
一国の対外経済取引を体系的にまとめたものが国際収支であるが、このうち貿易・サービス収支、所得収支、経常移転収支の合計からなる資本収支の大幅な黒字が、貿易摩擦の原因になる。

問24
check✓
□□□
円安が進むと、自動車、電機、機械関係企業の海外現地生産が促されるため、国内製造業の空洞化が憂慮される。

問25
check✓
□□□
プライムレートとは、銀行が企業に融資する際の最優遇金利のことをいい、中小企業に対する金利を指す。

問21　○　インフレーションとは逆に、物価の持続的な下落のことはデフレーションという。インフレーションは物価上昇速度からしばしば3つに分類される。①クリーピングインフレ＝じわじわと長期間にわたる先進国に根強いインフレ（年率数％程度）。②ギャロッピングインフレ＝石油危機時などのような駆け足のインフレ（年率10％超以上）。③ハイパーインフレ＝第一次世界大戦後のドイツや第二次世界大戦後の日本のような超インフレ（1年間で2倍以上）。

問22　×　バブルとは、投資家が値上がり期待から株や土地などの資産への投資を続けたために、それらの価格が実態的価値から乖離して高騰する状況のことである。したがって、当時は生産財・資本財産業の設備投資や住宅投資が刺激されたため、大量の資金が国外へ流出するような状況は生じていない。

問23　×　貿易・サービス収支、所得収支、経常移転収支の合計は経常収支である。資本収支は、投資収支とその他資本収支から成り立つ。

問24　×　設問文の内容は円安ではなく円高のものである。円高とはドルに対して円の価値が上がることをいい、例えば昨日150円で買った1個1ドルのリンゴを、今日は100円出せば買うことができる状況をいう。逆に1台100ドルで売っていた車の価値は150万円から100万円に落ちてしまう状況となる。つまり円高が進むと輸入には有利になるが、逆に輸出には不利であるため、国外輸出の多い企業はコスト削減のために海外現地生産をする傾向がある。円安は輸入には不利であるが輸出には有利となる。

問25　×　プライムレートとは、最も信用度の高い一流企業に対する最優遇金利のことである。貸出期間が1年以上のものを長期プライムレート、1年未満のものを短期プライムレートという。

問　題

以下の記述を読み、正しいものには〇、誤っているものには×をつけよ。

問26
check✓
□□□
1998年のアジア金融危機の引き金となったのは、香港の土地価格の暴落であった。

問27
check✓
□□□
ベンチャー企業とは、複数の国で、その国において法人格を持つ独立企業を設立し、子会社としてそれを支配する巨大企業のことである。

問28
check✓
□□□
1980年代半ばにそれまでのドル安を修正するプラザ合意がなされ、円安により輸入物価が上昇し、日本経済はインフレーションに見舞われた。この不況は円安不況と呼ばれる。

問29
check✓
□□□
2015年、中華人民共和国が主導するアジアインフラ投資銀行（AIIB）の設立が提唱され、日本を含む57ヵ国が創設メンバーとして名を連ねている。

問30
check✓
□□□
第二次世界大戦後、世界の先進資本主義国は、自由放任時代とは比較にならないほど大きな政府を持つようになった。このように政府の積極的な経済活動への介入と、市場での企業の自由な経済活動が共存している現在の資本主義経済は混合経済と呼ばれている。

問 26　✕　1998年のアジア金融危機は、1997年7月にタイで発生した通貨バーツの大暴落から始まった。バーツ下落の発端はタイの変動相場制移行であった。この新興市場に流入して土地や株式などに投機をしたヘッジファンドなどによる短期資金が、バブル崩壊後いっせいに流出したことが通貨価値の変動を加速させたと指摘され、これ以後ヘッジファンドによる投機が問題視されるようになった。

問 27　✕　設問文の内容は、ベンチャー企業ではなく多国籍企業の説明である。ベンチャー企業とは、新技術や高度な知識を軸に、大企業では実施しにくい創造的・革新的な経営を展開する中小企業のことをいう。1970年代初めに出現し、80年代にはブームを引き起こした。

問 28　✕　1985年にG5によって合意されたプラザ合意は、ドル高を是正するための合意である。この合意には、ドル高を背景に日本と欧米諸国間の貿易摩擦を解消するという意図もあった。この結果、市場では急激な円高が進行し、外需に経済成長を頼っていたわが国の経済は、円高不況と呼ばれる状況になったのである。

問 29　✕　アジアインフラ投資銀行（AIIB）に日本は参加していない。日本は、1966年、アメリカなどと共にアジア開発銀行（ADB）を設立している。

問 30　○　初期の資本主義経済は、自由放任主義がとられており、国家も国民の経済活動に干渉することなく、国防や治安維持など必要最小限度の仕事をしていればよいと考えられていた。しかし、1930年代の世界大恐慌と第二次世界大戦を経ると、財政・金融政策による不況対策、社会保障制度の拡大や経済計画の作成など、様々な面で政府の介入が必要とされるようになっていったのである。

問31 次の記述のうち正しいものはどれか。

check✓
□□□

1 マルクスは重農主義を提唱し、農業部門の重視・社会全体の再生産構造の分析を試み『経済表』をまとめた。

2 イギリスの経済学者アダム・スミスは、「経済学の父」と呼ばれる人物である。主著『諸国民の富（国富論）』の中で、自由放任主義を説いた。

3 ケインズは『帝国主義論』を著し、資本主義の矛盾を唱えて社会主義を主唱した。

4 リカードは『雇用・利子および貨幣の一般理論』を著し、不況と失業を克服するには、政府の公共投資や減税等の政策が必要であると主張した。

5 レーニンはドイツの経済学者・哲学者・革命家で、科学的社会主義の経済学体系を確立した人物である。著書に『資本論』などがある。

問31　正解　2

1　×　『経済表』はマルクスではなくケネーの著書である。ケネーはフランスの経済学者であり、ルイ 15 世の侍医であった。彼が書いた『経済表』は経済体系の循環・再生産を表わす図表であり、マルクスの再生産表式やレオンチェフの産業連関表の発想の源となったといわれる。

2　○　アダム・スミスは、私利私欲に基づく打算的な経済活動が中心となる資本主義社会でも、「神の見えざる手」に導かれて個々の利益と公益が調和すると主張し、自由放任を説いた。

3　×　設問文の内容は、ケインズではなくレーニンのものである。ケインズは、イギリスの経済学者であり、1930 年代の深刻な不況のなかで自由放任経済の欠陥を指摘し、政府投資の役割を強調した人物である。主著『雇用、利子および貨幣の一般理論』は経済界に「ケインズ革命」といわれる衝撃を与え、ニューディール政策にも大きく影響した。

4　×　設問文の内容は、リカードではなくケインズのものである。リカードは経済学を初めて学問的体系にまとめ、アダム・スミスによって創始された古典学派を完成させたイギリスの経済学者である。著書は『経済学及び課税の原理』。

5　×　設問文の内容は、レーニンではなくマルクスのものである。レーニンはロシアのマルクス主義革命家であり、ロシア十一月革命（グレゴリ暦）を指揮しソビエト政府を樹立した人物である。著書に『帝国主義論』がある。

経済

問32
check✓
□□□

**次の空欄ア～カに当てはまる語の組み合わせとして正しいものは
どれか。**

　国や地方公共団体の財政収入は、租税や公債などでまかなわれ
ている。租税は所得税・法人税などの　ア　と、酒税や消費税、
タバコ税などの　イ　に分かれる。消費税は所得の低い人ほど
税の負担が重くなるという　ウ　性を持っているため　エ　は
損なわれるが、同じ所得ならば公平な負担となるため　オ　は
満たされる。これに対し所得税は高額所得者ほど高率の税金を
納める　カ　課税制度をとっているため、　エ　は満たされる
が　オ　は損なわれるという問題が起こる。

	ア	イ	ウ	エ	オ	カ
1	直接税	間接税	逆進	垂直的公平	水平的公平	累進
2	直接税	間接税	累進	垂直的公平	水平的公平	逆進
3	直接税	間接税	累進	水平的公平	垂直的公平	逆進
4	間接税	直接税	逆進	水平的公平	垂直的公平	累進
5	間接税	直接税	累進	垂直的公平	水平的公平	逆進

問32　正解　1

　租税に関する基礎的な知識を問う問題である。

①直接税：納税者と税負担をする者が同じである税のことである。所得税と法人税が主で、所得税については所得額に応じて税率が高くなる累進課税方式がとられている。給与所得者と自営業者などでみられるように、同収入額でも税金の額が異なる場合があるため水平的公平は損なわれている。

②間接税：消費税、酒税、揮発油税、タバコ税などは納税者と税負担をする者が異なっており、間接税であるが、所得の多い少ないにかかわらず物品の購入の際に徴税されるため、低額所得者ほど税負担が重くなり、垂直的公平は損なわれている。

　以上より、空欄に入る語は次のとおりである。

ア　直接税
イ　間接税
ウ　逆進
エ　垂直的公平
オ　水平的公平
カ　累進

　よって、**1**が正解となる。

以下の記述を読み、正しいものには〇、誤っているものには×をつけよ。

問1
check✓
☐☐☐
プラトンは自分の無知を知ることが真理の探究に重要であると考え、無知の知こそすべての先入観を捨て謙虚に真理を探究するための基本的な心構えにほかならないと説いた。

問2
check✓
☐☐☐
アリストテレスは、人間はポリス的動物であるとして、正義と友愛の徳を特に重んじた。

問3
check✓
☐☐☐
孔子は「仁」を重んじ、君子による徳治政治を理想としたが、この思想はのちに民間信仰と結びついて道教となった。

問4
check✓
☐☐☐
老子は仁を重んじる儒家に反対して、作為を労しないで一切を自然の成り行きに任せる無為自然の道に従って人間は生きるべきであるとし、小国寡民という自給自足の社会を理想とした。

問5
check✓
☐☐☐
孟子は性悪説を主張し、人間は生まれつき様々な欲望を持っており、自然のままであれば争乱が起こるので、社会の秩序を保つためには客観的な規範としての礼を定め、これを守らなければならないと説いた。

問1　×　設問文は**プラトン**ではなく**ソクラテス**の説明である。**プラトン**は理想主義の人といわれ、世界を変化してやまない現象界と永遠に変わらない**イデア**の世界とに二分して考察した。そして個々の事物は、**イデア**（事物の本質）が宿ることによって存在しているとし、様々な**イデア**のなかでも最高の**イデア**（善の**イデア**）を感得することが人生の究極の目的であると説いた。

問2　○　アリストテレスは、人間を**ポリス的**（社会的）動物であると定義付けた。

問3　×　設問文の前半は妥当であるが、道教のもととなったのは**老子・荘子**による**老荘思想**であり、孔子の思想は**儒教**として発達していった。

問4　○　老子は道家の開祖である。あらゆるものを生み出す宇宙の原理である「道」に従って作為を労せずに生きる「**無為自然**」の生き方を理想とした。また、小さな国で人民が少なく、自給自足的な共同体的国家を理想的な社会のあり方と考え、これを「**小国寡民**」と呼んだ。

問5　×　設問文の内容は、孟子ではなく儒家の**荀子**に関する記述である。**荀子**は、人間は生まれながらにして悪であると考える「**性悪説**」の立場に立つ。人間を自由にしておくことは悪を栄えさせることになるので、客観的規範である**礼**によって人間を外側から矯正する必要があり、これによって人間社会を治める**礼治主義**を説いた。

以下の記述を読み、正しいものには〇、誤っているものには×をつけよ。

問6
check✓
□□□
イスラムとは唯一絶対神アッラーへの絶対的服従を意味し、イスラム教は人間生活すべての面を規定している。

問7
check✓
□□□
ブッダの入滅後、仏教は大乗と小乗に分裂したが、中国や日本を中心に広まり、大衆の救済を願って慈悲行を説いたものは小乗仏教である。

問8
check✓
□□□
キリスト教の愛が基本的に人間中心であるのに対し、仏教の慈悲は人間の範囲を超えて、すべての生きとし生けるものに及ぶとされる。

問9
check✓
□□□
法然は、「南無阿弥陀仏」と唱えるだけの易行によって、だれもが往生浄土できると解き、仏教を民衆のものとした。

問10
check✓
□□□
日蓮は法然の教えを浄化、発展させ、他力本願・悪人正機説を説いた。

問6　○　イスラム教では、アッラーを唯一絶対神とし、このアッラーの前ではすべての人間が民族・皮膚の色・言語・階層などの違いを超えて平等であるとされており、またアッラーの教えに絶対的に服従してよい生活を送ったものだけが、やがては訪れる最後の審判の日に天国に召されるとされている。

問7　×　中国や日本に広まっていったのは、小乗仏教ではなく大乗仏教である。ブッダの死後、ブッダの言行に忠実に従おうとする上座部仏教に対して、ブッダの精神を極めようとする大乗仏教が成立し、中国や日本に伝達されていった。この大乗仏教側から、上座部仏教を小乗と呼ぶようになった。

問8　○　キリスト教の愛（アガペー）は神の人間に対する平等な愛のことをいう。

問9　○　平安時代末期は疫病や天災が相次ぎ、社会の混乱のなかで末法思想が流行した。現世利益に奔走していた貴族たちは弱体化とともに将来に対する不安を募らせ現世に希望を失って厭世的・悲観的になり、一般民衆も毎日の生活難にさらなる不安を募らせていた。このような絶望的な気持ちの救いどころとして急激に広まったのが、法然の説く浄土教であった。

問10　×　設問文は日蓮ではなく親鸞の説明である。親鸞は、法然の思想をより徹底させ、絶対他力信仰を確立し、自分の罪業の深さを自覚する悪人こそが阿弥陀仏の救いの真の対象であるという「悪人正機説」を説いた。日蓮は、天台宗の基本的経典『法華経』を至上のものとし、その題目「南無妙法蓮華経」を唱えることで現世が浄土となると説いた。

以下の記述を読み、正しいものには〇、誤っているものには×をつけよ。

問11
check✓
□□□
ルターは人間を救うことができるのは神の恩寵によって可能となった信仰のみであり、人間は神の恩寵を信じて生きていかねばならないとする信仰義認説を主張した。

問12
check✓
□□□
朱子学は朱子によって大成された新儒教であったが、日本では江戸時代にこの朱子学が官学となり大いに発展した。

問13
check✓
□□□
二宮尊徳は幕末の農業指導家であり、その著書『日暮硯』において、封建的身分秩序を批判して経済的合理主義に基づいた農民の生き方を説いた。

問14
check✓
□□□
福沢諭吉は独立自尊の精神と天賦人権論を説き、平等主義を主張したが、それを実現するには個々人が、儒学や漢学といった実学に励まねばならないとした。

問15
check✓
□□□
「民本主義」を提唱し、民衆の政治参加を唱え、大正デモクラシーを理論的に推進した政治学者は吉野作造である。

問16
check✓
□□□
「最大多数の最大幸福」と表現されるベンサムの功利主義では、快楽の量は可測的で、快苦の強さや持続性などを基準として比較し計算する快楽計算が可能だと主張した。

問11 ○　ルネッサンス期の宗教改革の支柱となった考え方である。またルターは、信仰のよりどころは**聖書**であり、信仰するものはだれでも**司祭**であるという**万人司祭**説も主張した。

問12 ○　朱子学とは、南宋時代の**朱子**が創始した**儒学**の一派であるが、**上下関係**を特に重視したので、江戸幕府はこれを官学とした。

問13 ×　確かに二宮尊徳は、幕末の実践的・合理的な農政指導者として活躍したが、封建的な身分制度を批判した**わけではない**。今の自分がこうして生きていられるのは、自然・先祖・主君・親などからの**徳**のおかげであり、この恩に自らも**徳**をもって報いるべきであるとする**報徳**思想を説いた。

問14 ×　福沢諭吉が実学としたものは、**儒学**や**漢学**ではなく、西欧先進国の**合理的**で日常の役に立つ学問である。

問15 ○　彼はまた、政治の目的は**民衆**の福利にあり、政策の決定は**民衆**の意向によるものとした。

問16 ○　妥当である。このようなベンサムの主張に対して、J.S.ミルは**精神世界**の必要性を主張し、幸福には質的に異なり量を計算できない精神的な幸福というものがあるとした。したがって幸福は**可測**的ではないと主張している。

以下の記述を読み、正しいものには〇、誤っているものには×をつけよ。

問 17
check✓
□□□
実存主義を代表するキルケゴールは「神は死んだ」と宣言し、伝統的な文化や教養の崩壊を主張した。

問 18
check✓
□□□
パスカルは、人間は無限と虚無の間を揺れ動く不安定な存在であるが、自分の弱さやみじめさを知っている点において偉大であるとして、「人間は考える葦である」と述べた。

問 19
check✓
□□□
J.S. ミルは、功利主義の立場に立ち、精神的快楽を重んじた。彼の思想は「満足した愚者よりも、不満足なソクラテスのほうがよい」という言葉によく表われている。

問 20
check✓
□□□
ヘーゲルは「自由とは自立である」と述べ、理性に従うことが真の自由であるとした。

問17　×　設問文の内容は**ニーチェ**に関するものである。**ニーチェ**は、既成の価値観を覆して力の意思に従って新しい価値を創造するのが人間本来のあり方であるとして、禁欲的な**キリスト教**が人間本来のあり方をゆがめ無力化させたと**キリスト**教を批判した。主著『**ツァラトゥストラはかく語りき**』でも「神は死んだ」とキリスト教批判をしている。**キルケゴール**は、超絶対的超越者である神の前に人間は単独者として立っていると主張した人物である。

問18　○　「人間は考える葦である」は**パスカル**の有名な言葉である。彼は「人間は一本の葦にすぎない。自然の中で最も弱いものである。だが、それは考える葦である」と述べ、大自然のなかでは人間は弱く小さな存在であり、同時に、その人間の**尊厳**は、**理性**によって考えるところにあると主張した。

問19　○　J.S.ミルは、**ベンサム**の量的功利主義を修正し、快楽には**質的相違**があることを主張して質的功利主義の立場に立ち、**精神的**な快楽は**肉体的**な快楽よりも高級であるとした。

問20　×　設問文の内容は、**ヘーゲル**ではなく**カント**のものである。**カント**は理性をもって行為することのできる真に自由な主体を人格と呼び、相互に他人の人格を尊重しあうことを道徳の本質と考えた。**ヘーゲル**はドイツ理想主義哲学を総括・大成した人物で、自由な精神が客観的な制度・組織として具体化されたものを「**人倫**」と呼び、**人倫**は、家族から市民社会を経て国家へと弁証的に発展するものととらえた。

問21 日本の思想に関する記述のうち、最も妥当なものはどれか。
check✓
□□□

1 福沢諭吉はフランス留学時にルソーの思想に接しその影響を受け、帰国後『社会契約論』を漢訳し、東洋のルソーと呼ばれた。

2 伊藤仁斎は、『古事記』等日本の記紀の研究を行い、国学の大成者として日本古来の道を探求した。

3 和辻哲朗はキリスト教徒であり、無教会主義の立場から日本に武士道精神を土台にした日本的キリスト教を確立しようとした。

4 安藤昌益は江戸末期の洋学者で、技術・物質面では西洋文明を導入し、精神はあくまでも東洋の伝統的なものを維持しなければならないと考えた。

5 柳田国男は、名もない人々の生活文化研究を通して、日本の文化的基盤を探求した日本民俗学の創始者である。

問21　正解　5

1　×　設問文の内容は福沢諭吉ではなく中江兆民のものである。中江兆民はそのほか『三酔人経綸問答』など有名な著作を残している。福沢諭吉は3度の渡米経験があり、『西洋事情』『学問のすゝめ』『文明論之概略』などを著し、独立自尊の精神と、日常生活に役立つ実学を重んじた人物である。

2　×　設問文の内容は伊藤仁斎ではなく本居宣長のものである。本居宣長は、国学研究を進めるなかで、日本古代の考え方を体系的な思想にまとめ、中国から入ってきた儒教や仏教などの思想を捨て去り、日本古来の生き方に帰るべきだと主張した。伊藤仁斎は、孔子や孟子の原典である『論語』『孟子』から直接儒学本来の精神を学ぼうと古義学を確立した人物である。

3　×　設問文の内容は和辻哲朗ではなく内村鑑三のものである。内村鑑三はキリスト教思想家として日本人の知識人層に影響を与えた人物である。和辻哲朗は、西洋の個人主義的な倫理観を批判し、自己の倫理学を「人間の学」と名づけて新しい倫理学を打ち立て『倫理学』を著した。

4　×　設問文の内容は安藤昌益ではなく佐久間象山のものである。佐久間象山は「東洋道徳、西洋芸術」を強調し、西洋の進んだ科学技術を取り入れなければ日本は西洋に遅れをとると考えたが、精神はあくまでも東洋の伝統的なものでなければならないとした。一方安藤昌益は、農民こそが唯一の生産的階級であり、そのほかの身分は農民に寄食している階級であると、封建的身分制度を否定し、それを支える儒教や仏教をも厳しく批判した人物である。

5　○　柳田国男は、旧来の歴史学が、実際に歴史を支えてきた常民（名もない人々）の歴史を無視してきたとして、民間伝承を多方面にわたって最終分析し、常民の生活史を再現した人物である。主著に『遠野物語』がある。

問22 次の文中の空欄に当てはまる語句の組み合わせとして、正しいものはどれか。

　経験主義を主張していた　ア　は、人間の生活を改善し人間に幸福をもたらすことが学問の目的であると説いた。そこでいう学問の方法は、観察された個々の経験的事実からそれらの共通する一般法則を導き出すという　イ　法でなければならないとした。それに対し合理主義の立場をとった　ウ　は、一般的な原理をあらかじめ前提にして、そこから個別的な場合を推論する　エ　法を用いることにより絶対確実な真理が探究されるべきとした。

	ア	イ	ウ	エ
1	ロック	演繹	ベーコン	帰納
2	デカルト	帰納	ベーコン	演繹
3	ベーコン	演繹	デカルト	帰納
4	デカルト	演繹	ベーコン	帰納
5	ベーコン	帰納	デカルト	演繹

問22　正解　5

　観察された個々の特殊な経験的事例からそれらの共通事項を見出し、最後にそこから必然的に導き出される普遍的法則を確立する推理方法を帰納法という。ベーコンは、この帰納法によって普遍的な真理を探究し、それに基づいて自然を支配・利用することで人間の生活の改善・向上を図ろうとした。このことは「知は力なり」という言葉に表わされる。

　一方、デカルトの真理の探究は、それまで真理と考えられていたあらゆるものを疑うことから始まった。その結果、疑っている自分の存在だけは疑えないとして、「我思うゆえに我あり」という原理に到達する。そして、この確実な「自己」が正しい論理を展開すれば当然正しい結論が導き出されるとして、演繹法を確立するのである。

　以上より、空欄に入る語句は次のとおりである。
ア　ベーコン
イ　帰納
ウ　デカルト
エ　演繹
　よって、**5**が正解となる。

社 会

問　題

以下の記述を読み、正しいものには〇、誤っているものには×をつけよ。

問1
check✓
□□□
アジア太平洋経済協力（APEC）は、欧州連合（EU）と同様、将来的に域内の単一市場による経済圏の創設を目指すものであるが、非加盟国の中国がこれに反対しているため、実現していない。

問2
check✓
□□□
東南アジア諸国連合（ASEAN）は、東南アジア5ヵ国を原加盟国として1967年に結成された地域協力機構である。発足当時は政治同盟・軍事同盟的な色彩が強かったが、経済協力の方向へ転じている。

問3
check✓
□□□
サミットとは、共通する世界経済の諸問題について討議することを目的とした主要国首脳会議のことをいう。2023年現在のサミット参加国は、米・英・仏・独・伊・日とカナダとロシアの8ヵ国であり、これら先進諸国は総称してG8と呼ばれる。

問4
check✓
□□□
国際連合には、総会・安全保障理事会・経済社会理事会・信託統治理事会・国際司法裁判所の5つの主要機関が置かれている。

check✓
□□□
日本政府は2015年に政府開発援助（ODA）大綱を改定して開発協力大綱を定め、「国際社会の平和と安定及び繁栄の確保により一層積極的に貢献すること」をその目的として掲げている。

check✓
□□□
1970年代から、開発途上国において資源保有国や工業化に取り組んだ国々と依然開発が遅れている国々とで大きな格差や利害対立が生まれ、南北問題が生じるようになった。

問1　×　APEC は環太平洋地域の多国間経済協力を討議するための政府間公式協議体であり、EU のように域内の単一市場形成を目指すものではない。また現在 21 の国と地域が参加しており、中国も参加している。

問2　○　ASEAN は現在では加盟国を 10 ヵ国に増やし、さらに拡大外相会議等を開くことで地域外の第三国との対話も推進し、地域経済と世界経済の調整を行っている。

問3　×　設問文の前半は正しい。サミット参加国は 1997 年にロシアが加わって 8 ヵ国となり、G8（Group of Eight）と呼ばれたが 2014 年からは、ロシアのクリミア編入問題への反発から、ロシアを除き、7 ヵ国に EU を加えた形で開催されている。

問4　×　5 つではなく、事務局を加えた 6 つの主要機関がある。主要機関のもとに、多数の委員会や国連と関連した専門機関と呼ばれる組織が置かれている。

問5　○　新たに定められた開発協力大綱において、「開発協力」とは、「開発途上地域の開発を主たる目的とする政府及び政府関係機関による国際協力活動」を指している。

問6　×　設問文の内容は南北問題ではなく南南問題のものである。南北問題は、第二次世界大戦後、開発途上国が政治的独立を果たしたものの、モノカルチャー経済から脱却できずに先進国との経済格差が広がってしまった問題のことである。

以下の記述を読み、正しいものには〇、誤っているものには×をつけよ。

問7
check✓
□□□
1985 年、ソ連のゴルバチョフ書記長は経済政治両面でペレストロイカを打ち出し、共産党による一党独裁体制を強化しようとしたが、改革は混乱を招き、1991 年ソ連は崩壊した。

問8
check✓
□□□
1962 年のキューバ危機以降、米ソの緊張関係は緩和され、1963 年にはアメリカ・イギリス・ソ連の 3 国により、大気圏内、宇宙空間および水中における核実験禁止を内容とする、最初の核軍縮についての国際条約「部分的核実験停止条約」が締結された。

問9
check✓
□□□
ミャンマーでは社会主義政権崩壊後、国軍のクーデターによる軍事政権が続いていたが、2011 年にアウン・サン・スー・チーが大統領に就任して民政移管を果たした。

問10
check✓
□□□
スコットランドでは、2014 年にイギリスからの独立を問う住民投票が行われ、独立反対派が勝利した。

問11
check✓
□□□
ノーマライゼーションは、障害者や高齢者などハンディを負った者が、特別扱いをされることなく健常者と同様な生活を送ることができる社会をつくりあげていくことをいう。

問12
check✓
□□□
公的扶助とは生活保護法に基づいて、国が生活困難者に対して生活、教育、住宅、医療、出産などに関する援助を公費で行い最低限の生活保障と自立を助長する制度である。

問7　×　ペレストロイカとは「改革・立て直し」という意味のロシア語で、ゴルバチョフ書記長がグラスノスチ（公開性）とともに推し進めたソ連の民主化・自由化のスローガンである。共産党による一党独裁体制強化のために打ち出されたものではない。ペレストロイカによる民主化・自由化の動きは急速に東欧諸国へ波及し、ソ連を形成していた各共和国の独立と、ソ連崩壊を招いたのであった。

問8　○　この部分的核実験停止条約には、日本も同年に調印。フランス・中国は、この条約が米ソの核独占体制を維持するものであると批判して加盟しなかった。地下核実験は禁止されていない。

問9　×　2011年にミャンマーの大統領に就任したのはテイン・セインである。アウン・サン・スー・チーは、2016年以降、国民民主連盟の党首及びティンチョー大統領のもとで国家顧問として政治活動を展開したが、2021年の国軍のクーデターにより再び拘束された。

問10　○　スコットランドの独立を問う住民投票では、賛成約162万票（44.7％）に対して反対約200万票（55.3％）で独立反対派が勝利した。その後、イギリスの最高裁判所は2022年11月に、スコットランドの英国からの独立の是非を問う住民投票は英国政府の同意なしには実施できないとの判断を示した。

問11　○　ノーマライゼーションは、知的障害者が施設に閉じ込められていることに対する異議申し立てとして、デンマークで形成された理念である。現在では、広く社会保障の理念として世界で受け入れられつつある。

問12　○　生活保護法は1946年に制定されたもので（1950年に全面改正）、憲法25条に規定する理念に基づいている。公的扶助には設問文にある5つのほかに介護、生業、葬祭がある。

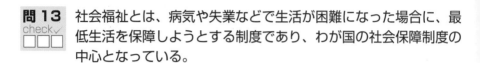

問　題

社　会

以下の記述を読み、正しいものには〇、誤っているものには×をつけよ。

問 13
check✓
□□□
社会福祉とは、病気や失業などで生活が困難になった場合に、最低生活を保障しようとする制度であり、わが国の社会保障制度の中心となっている。

問 14
check✓
□□□
平成 4 年度から育児休業制度が実施されたが、事業主に申し出て子どもが満 1 歳に達するまでの間育児休業を取得することができるようになったのは、女子労働者に限られている。

問 15
check✓
□□□
公費および被保険者である 40 歳以上の全国民の保険料を財源として、65 歳以上の寝たきりや認知症の高齢者らに介護サービスを提供する介護保険制度が、2000 年 4 月から実施されている。

問 16
check✓
□□□
社会の変化、医学や公衆衛生の進歩などにより、開発途上国では人口爆発と呼ばれる急激な人口増加が問題となっている。一方、先進国では、多くの国が少産少死型に移行し、人口減少による社会保障費の増大や労働力不足、外国人労働者問題が問題となってきている。

問 17
check✓
□□□
自由競争市場において消費者が合理的に行動するならば、生産のあり方や資源の最適配分は消費者の需要により決定されるという考え方を消費者主権という。現在の経済社会は、ほぼこの原理のもとに進行している。

問13　✕　設問文は、社会福祉ではなく社会保険についての説明である。社会福祉とは児童・老人・身体障害者など生活力の弱い人々を援助する目的で、施設やサービスを提供する制度をいう。

問14　✕　育児休業制度は、育児と仕事の両立を目的として、男女雇用機会均等法の育児休業規定を独立化した育児・介護休業法に基づいている。取得者は男女を問わず、子どもが1歳になるまでの間に、育児休業をとることが可能（最長2年まで延長可）になっている。

問15　○　この介護保険制度は、1997年12月に成立した介護保険法に基づく社会保障制度である。同制度に基づく公的介護の運営主体は市町村および東京都特別区であり、介護保険の対象となるのは40歳以上の全国民で、2000年度から保険料が徴収されている。利用者の負担は支給限度額内では費用の1割（一部は2割か3割）である。

問16　○　開発途上国では、特に乳幼児の死亡率が大きく低下したために近年急激に人口が増加したが、農業生産が追いつかず食料不足が深刻な問題となっている。また先進国は、平均寿命の高齢化・女性の社会進出による出産機会の減少などから人口が減少する傾向が強く、設問文に挙げられているような問題が噴出してきている。

問17　✕　今日の経済社会のなかでは、生産者側から受ける影響が非常に大きく、消費者主権は形骸化しているといえる。これでは消費者の利益が損なわれがちであるとして、消費者の利益を立法や行政措置によって保護する必要があると最初に指摘したのが、1962年アメリカのケネディ大統領が特別教書で唱えた「消費者の4つの権利（安全である権利・知る権利・選ぶ権利・意見を反映される権利）」であった。日本では1968年に消費者保護基本法が制定され、その後2004年に消費者基本法として改称・改正された。前の4つの権利の他に、被害から救済される権利を明記している。

問 題

以下の記述を読み、正しいものには〇、誤っているものには×をつけよ。

問 18
check✓
□□□
製造物責任法（PL法）とは、製造・販売された製品の欠陥で消費者が損害を受けた場合、製造者や販売者に過失がなくても損害賠償責任を負わせる制度である。

問 19
check✓
□□□
鉄鋼や造船といった重厚長大産業にかわって、エレクトロニクスや情報関連産業が急成長するきっかけとなったのが、1973年の石油危機であった。石油危機は石油にかわるエネルギーの開発や、資源の節約等を促したため、環境問題にとっても、大きな転換点であったといえる。

問 20
check✓
□□□
戦後、高度経済成長期以前の日本の産業別就業人口は第二次産業就業者が最も多く、1950年代前半には40%を占めていたが、高度経済成長によって産業構造が変化し、第三次産業就業者率が第二次産業就業者率を超えるに至った。

問 21
check✓
□□□
高度の情報通信技術であるニューメディアの急激な発達に伴い、新しい人権問題が登場してきた。例えば、国民がマスコミから一方的に情報を受け取るだけでなく、自由な言論や公平な議論のために国民の側がマスコミへ接近し利用できることを求めるアクセス権などがある。

問 22
check✓
□□□
脳死を一般に人の死とする臓器移植法が1997年に成立したことによって、日本においても臓器移植の道が大きく開かれることとなった。

問 23
check✓
□□□
バイオテクノロジーの発展により遺伝子の組み換え作物なども生まれ、それらが一般市場に出回るようになったが、現在はまだ規制制度は整っていない。

問18　○　従来は賠償請求に際して、消費者が、製品の製造過程で、いつ、だれによる過失があったかを立証しなければならなかったが、この PL 法制定により、**製品に欠陥があった**ことを立証できれば、企業の過失不過失にかかわらず**損害賠償責任**を負わせることが可能となったのである。**1994 年 6 月**に成立、翌年 7 月から施行。

問19　○　石油危機とは、**1973 年**の第四次中東戦争を機に**アラブ産油国**が原油の減産と大幅な値上げを行い、石油輸入国に失業・インフレ・貿易収支の悪化という深刻な打撃を与えた事件（第一次石油危機）と、**1979 年**の**イラン**革命に伴って産油量が減り、原油価格が急騰した（第二次石油危機）2 度の事件をいう。中東に石油の輸入を頼っていた日本は 2 度にわたる石油危機によって大打撃をうけ、エネルギーの節約と**代替エネルギー**の開発を促されることとなった。

問20　×　高度経済成長期以前の日本は確かに工業国ではあったが、産業別就業人口では第一次産業就業者が最も多く、1950 年代前半に 40％を占めていた。また日本では戦後を通して第二次産業就業者率が第三次産業就業者率を超えたことはなく、70％近くが第三次産業就業者である。

問21　○　そのほか、開発した情報技術のソフトや著作権の保護などといった**知的所有権**の保護をめぐる議論もみられる。

問22　×　1997 年に成立した**臓器移植法**では、臓器移植の場合に限り**脳死**を人の死とするという条件が付いたため、人の死が脳の機能を基準にした死と従来からの心臓死とに二分され、社会的に論議を呼んだ。2009 年に**脳死**を一般に人の死とする改正法が成立した。

問23　×　日本では**2001 年 4 月**から、JAS 法により、遺伝子組み換え作物の使用の有無を表示することが義務づけられている。

問 題

以下の記述を読み、正しいものには〇、誤っているものには×をつけよ。

問 24
check✓
□□□
第三次産業革命は、新エネルギー源である石油によって起こった。石油によって電力の大量生産、自動車や航空機の普及、テレビ・石油化学工業の登場がもたらされた。

問 25
check✓
□□□
同和問題はそのほとんどが解決しており、現在では同様のことが起こらないための条例等が各地方公共団体で個別に定められている。

問 26
check✓
□□□
農村と都市についてその社会生活の特徴を比較すると、一般に都市の特徴として人間関係が合理的・功利的であるといえる。

問 27
check✓
□□□
ドーナツ化現象とは、住宅や都市施設が無秩序に都市内部から周辺地域へと広がっていく現象のことをいう。

問 28
check✓
□□□
NPOは、組織性・民間性・利益の不配分・自立性・自発性の特徴を持ち、主に開発協力などの国際的な活動を行う団体である。

問 24　×　第三次産業革命は、**オイルショック**をきっかけにした、石油から原子力へのエネルギー革命、技術革新を指す。設問文は第二次産業革命の説明である。

問 25　×　同和問題は解決したとはいえない。国政レベルでは1969 年の同和対策事業特別措置法の制定で本格的な同和行政が始まり、国と地方が連携して同和問題を解決していく試みがなされるようになったが、露骨な差別は減ってきているものの、社会的差別を受けている「被差別部落」自体も依然存在しており、**就職差別・結婚差別**はいまだ根強く残っている。

問 26　○　一般に都市の生活は、伝統的な**慣習**や**人間関係**による束縛から自由であり、職場・住宅・商業・娯楽等それぞれ必要に応じて機能集団に属し、**合理的・功利**的な人間関係が形成される特徴があるといわれる。

問 27　×　設問文は**ドーナツ化現象**ではなく**スプロール**現象の説明である。**スプロール**現象とは、都市への人口集中や地価高騰などを原因として、これを避けるために比較的地価の安い郊外において無秩序に住宅開発が進められた結果、虫食い状態に**地域開発**が行われていくことをいう。一方**ドーナツ化現象**とは、都市の発展に伴って都心の人口が減少し、周辺地域の人口が増加する現象のことである。

問 28　×　設問文は NPO ではなく NGO の説明である。NPO とは Non-profit Organization の略称で、政府・自治体や私企業とは独立した存在として、**市民・民間**の支援のもとで福祉やまちづくりなどの社会的な公益活動を行う**非営利組織**のことをいう。NPO と NGO（**非政府組織**）の違いは、主に**国際的活動**を中心とする団体であるか否かにすぎない。

社　会

以下の記述を読み、正しいものには○、誤っているものには×をつけよ。

問29
check✓
□□□

平成30年の労働者派遣法改正では、働き方改革の同一労働同一賃金の考えから、派遣元事業主は、派遣労働者に対して、派遣先の通常の労働者との均等・均衡待遇、または一定の要件を満たす労使協定による待遇を確保することが義務となった。

問30
check✓
□□□

わが国の雇用調整は雇用者数の調整よりも労働時間の調整によるものが多かったが、近年、雇用者数の削減が目立っている。

問31
check✓
□□□

1999年に改正男女雇用機会均等法が施行され、募集、採用、配置、昇進の男女の均等な取扱いの努力規定から、不均等な取扱いの禁止規定になった。これにしたがって、男子のみに限定した採用の募集は禁止されたが、女子に限定した募集は許されている。

問32
check✓
□□□

日本の労働者全体に占める非正規労働者の比率（パート・アルバイト、派遣社員、契約社員、嘱託など）は、景気の回復もあり、近年著しく低下している。

問33
check✓
□□□

日本国憲法は、その28条で団結権・団体交渉権・団体行動権の労働三権を保障しているが、これらは民間企業の被雇用者・公務員ともに認められている権利である。

問29　○　2020年4月施行の労働者派遣法では、これまで、配慮義務であった派遣労働者と派遣先の労働者の待遇の差に関する規定の整備が義務化された。派遣元事業主は、派遣労働者に対して、派遣先の通常の労働者との均等・均衡の待遇とする「派遣先均等・均衡方式」または、一定の要件を満たす労使協定による待遇とする「労使協定方式」のいずれかを確保する義務がある。

問30　○　終身雇用を雇用慣行に持つわが国では、従来、雇用調整は所定労働時間の調整で行われてきたが、高率の経済成長が望めなくなった近年では、早期退職や解雇などによる雇用者数の削減が増えている。

問31　×　女子のみに限定した募集も原則禁止である。法律は女子の優遇が主旨ではなく、男女雇用機会均等法の改正とともに労働基準法の女子時間外労働規制、休日労働禁止、深夜労働禁止の女子保護規定が撤廃された。

問32　×　総務省の労働力調査によれば、景気が回復軌道に乗っても、非正規労働者の比率は上昇傾向である。

問33　×　公務員のうち一般職には団結権が認められているが、団体交渉権は協約締結権がないとされ争議権は認められていない。警察と消防は三権とも認められていない。なお、この労働基本権を保障するため、労働組合法・労働関係調整法・労働基準法の労働三法が制定されている。

社 会

以下の記述を読み、正しいものには○、誤っているものには×をつけよ。

問 34
check✓

地球の生態系に重要な役割を果たす熱帯林の大幅な減少が現在大きな問題となっているが、全世界的にみると、一番の原因は減少面積の約 45%を占めている焼畑移動耕作である。

問 35
check✓

ガンや奇形の原因となる強力な毒性を持つダイオキシンは、自動車の排気ガスに多く含まれ、特に都市部の大気を汚染しており、大きな問題となっている。

問 36
check✓

化石燃料の燃焼によって発生する二酸化炭素は、太陽光の赤外線を吸収して温室効果を生み、地球の温暖化の原因となっている。

問 37
check✓

日本は地球のオゾン層の破壊を防止するための「モントリオール議定書」を締結しており、国内でも「特定物質の規制等によるオゾン層の保護に関する法律（オゾン層保護法）」を制定し、各自治体によるフロン回収への取組みも進みつつある。

問 38
check✓

わが国では、容器包装リサイクル法は制定されているが、家電や自動車などの大型製品のリサイクルについてはまだ制度が整っていない。

問 34　○　熱帯林減少の最大の理由は、全世界的には焼畑移動耕作である。その他定住農業のための開墾や薪の採取、過剰放牧などが挙げられる。一方、地域的にみると、東南アジアの島国などでは商業用の伐採が森林減少の最大要因となっている。

問 35　×　ダイオキシンはゴミ焼却時に発生する毒性がきわめて強い有機塩素化合物で、微量でも摂取すると人体に大きな影響を与える物質である。旧文部省は学校のゴミ焼却炉を全廃している。

問 36　○　地球の温暖化により、南極や北極の氷河が溶けることによる海面上昇や砂漠化の加速、異常気象による食料減産等の影響が出ており、今後一層被害が拡大すると予測されている。また、石油や石炭などの化石燃料を燃焼させると、二酸化炭素のほかにも硫黄酸化物や窒素酸化物等が発生するため、酸性雨の原因にもなっている。

問 37　○　フロンの回収については、1992 年のモントリオール議定書締結国会議で、1995 年末の特定フロンの全廃（途上国は 2015 年まで）と 2020 年の代替フロンの原則撤廃（途上国は 2030 年まで）が決定されており、日本ではこれに沿って、生産量・消費量の削減を実施している。また「オゾン層保護対策推進会議」も設置され、自治体と協力してフロンの回収が行われている。

問 38　×　テレビやエアコン、冷蔵庫、洗濯機といった家電製品に対しては、2001 年 4 月から家電リサイクル法が施行されており、消費者は勝手にこれらを廃棄してはならないこととなっている。また、わが国では容器包装リサイクル法、家電リサイクル法のほかに、デジタルカメラやゲーム機などからレアメタルなどを取り出して再資源化を図る小型家電リサイクル法をはじめ、建設リサイクル法、食品リサイクル法、自動車リサイクル法、パソコンリサイクル法が定められている。

問39 次のア～ウの記述に該当する国際組織の略称の組み合わせとして正しいものはどれか。

ア GATT のウルグアイ‐ラウンド最終合意文書に署名した 150 ヵ国以上が参加し、サービスや知的財産権をも含めた世界の貿易を統括する国際機関。常設の理事会を設置して国際紛争処理能力を強化するなど、GATT より機能が強化されている。

イ 12 の石油輸出国で構成される石油の生産・価格カルテル組織。欧米の石油カルテルに対抗して自らの利益を守るため 1960 年に結成。石油生産量では世界の 4 割を占め、1970 年代には 2 度にわたる石油危機を引き起こした。

ウ 1961 年に設立された先進諸国の経済政策の協調・調整のための国際機関。日本は 64 年に加盟。近年は雇用問題・多国籍間の投資協定策定・貿易問題・規制制度の緩和などの課題に取り組んでいる。

	ア	イ	ウ
1	WTO	APEC	IAEA
2	WTO	OPEC	IAEA
3	WTO	OPEC	OECD
4	IAEA	OPEC	OECD
5	IAEA	APEC	ASEAN

問39　正解　3

ア　これは、WTO（世界貿易機関）の説明である。1995 年 1 月、GATT にかわる新しい自由貿易体制の番人として発足した。サービス貿易や特許権・著作権など知的所有権に関する国際ルールの確立や、従来例外とされてきた農業の自由化の促進、貿易国間の紛争処理能力の大幅な強化などが特徴となっている。

イ　これは、OPEC（石油輸出国機構）の説明である。イラン・イラク・クウェート・サウジアラビア・ベネズエラの 5 ヵ国が石油メジャーに対抗するために結成した。現在の加盟国は 12 ヵ国。

ウ　これは、OECD（経済協力開発機構）の説明である。現在の加盟国は 34 ヵ国で、先進国のほとんどが網羅されている。本部はパリにある。

　また、IAEA とは国際原子力機関の略称で、原子力の平和利用を促進するために国際連合の下に設立された国際的な協力機関である。1957 年に発足した。APEC はアジア太平洋経済協力の、ASEAN は東南アジア諸国連合の略称である。

　以上より、**3** が正解となる。

問 40
check✓
☐☐☐

空欄に入る適語の組み合わせとして正しいものは次のうちのどれか。

　人口ピラミッドとは、ある地域のある時点における年齢階層別人口を上下に、男女を左右に分けて並べた図であり、その形態によって人口構成を知ることができる。一般に、その国の発展にしたがって　ア　→　イ　→　ウ　と移行するといわれる。近年の日本の形状は、　エ　に近い　ウ　となっている。

	ア	イ	ウ	エ
1	ひょうたん型	つぼ型	つりがね型	富士山型
2	つりがね型	富士山型	つぼ型	ひょうたん型
3	つりがね型	ひょうたん型	つぼ型	富士山型
4	富士山型	ひょうたん型	つりがね型	つぼ型
5	富士山型	つりがね型	つぼ型	ひょうたん型

問 40　正解　5

　一般に、発展途上国などの多産多死型社会では富士山型、先進国などの少産少死型社会になるにしたがって、つりがね型、つぼ型へと変化する。具体例としては、富士山型ではエチオピア、つりがね型ではブラジル、つぼ型はイギリスなどを挙げることができる。

　日本の人口ピラミッドの形状は、1935 年頃に富士山型だったのが、1960 年頃までにつりがね型となった。それ以降人口が減退してつぼ型に近くなってゆくと思われたが、1971 ～ 73 年にかけての第二次ベビーブームで一時的に出生率が増加したことが影響して、現在はひょうたん型に近いつぼ型となっている。

　以上より、**5** が正解となる。

第2章

絶対決める！

日本史

世界史

地理

日本史

以下の記述を読み、正しいものには〇、誤っているものには×をつけよ。

問1
check✓
□□□
1877年にアメリカ人のエドワード＝S＝モースは、東京の加曾利貝塚を調査した。

問2
check✓
□□□
弥生時代に用いられた青銅製祭器の一つに銅鐸があり、近畿地方を中心に分布している。

問3
check✓
□□□
邪馬台国は3世紀に約30の小国を従えて成立し、所在地をめぐって今も論争が続いている。

問4
check✓
□□□
『日本書紀』には、雄略天皇の時代（552年）に朝鮮半島の百済から仏教が伝来したと記されている。

問5
check✓
□□□
姓（かばね）は、大和政権が、中央・地方の豪族を大王中心の支配体制化に組み入れる際に、各豪族に与えた政権内での地位を示す称号である。

問6
check✓
□□□
大化の改新以前に、大和朝廷が各地に設けた直轄地のことを稲置（いなぎ）という。

問7
check✓
□□□
6世紀に推古天皇の摂政となった聖徳太子は、物部氏と協力して国政を主導し、冠位十二階の制や憲法十七条を制定した。

問1　×　モースが調査したのは東京の大森貝塚であり、縄文時代後期の貝塚で、モースの調査から、日本の近代科学としての考古学は始まるとされる。加曾利貝塚は、千葉県の縄文後期の国内最大級の貝塚である。

問2　○　銅鐸は弥生時代前期末から中期前半頃につくられはじめ、近畿地方を中心に分布している。初期のものは小型で木につるして鳴らしたと考えられているが、次第に大型化して祭器となった。

問3　○　邪馬台国は、約30の小国を従え、女王卑弥呼が支配したとされる。女王は鬼道（呪術）を事とし、巫女的性格を持っていた。所在については近畿説や九州説をはじめ諸説が存在する。

問4　×　雄略天皇は5世紀後半に在位した天皇なので誤り。仏教は欽明天皇の時代（552年）に伝来し、百済の聖明王が日本に仏像や経論を伝えたとされている。

問5　○　姓は、古代の氏が氏の名につけて世襲した政治的・社会的地位を示す称号であり、王と政権による支配が強化される中で制度として整備され、大王が与奪するようになった。

問6　×　大化の改新（645年）以前の大和政権の直轄地は、屯倉（みやけ）といい、収穫物をおさめる倉庫から転じた土地・農民を含む農業経営の総称である。稲置は、大化の改新以前の最末端の地方官で、村落の首長である。

問7　×　物部氏ではなく蘇我氏が正しい。物部氏は蘇我氏と対立した豪族であり、6世紀末に蘇我氏に敗れて衰えた。聖徳太子は、蘇我馬子とともに推古天皇の下で国政を主導した。

以下の記述を読み、正しいものには〇、誤っているものには×をつけよ。

問8
check✓
□□□
小野妹子は、607年に遣唐使の大使として唐に渡り、唐の皇帝に国書を献上した。

問9
check✓
□□□
645年に山背大兄王が中臣鎌足らの協力を得て、専横を振るっていた蘇我氏を打倒して行った政治改革を、大化の改新という。

問10
check✓
□□□
672年に天智天皇の弟の大海人皇子と子の大友皇子との間で行われた皇位継承争いのことを壬申の乱という。

問11
check✓
□□□
天武天皇が皇后の病気平癒を祈って藤原京に創建したが、710年の平城京遷都とともに現在地の奈良市西ノ京に移転された寺院を法隆寺という。

問12
check✓
□□□
大化の改新から平城京遷都に至る時代の文化を、白鳳文化という。

問13
check✓
□□□
阿倍仲麻呂は遣唐使として717年に唐に渡り、唐の玄宗皇帝に重用されたが、日本に帰国することはできなかった。

問14
check✓
□□□
神代から推古天皇までの天皇系譜や皇室の伝承をとりまとめ、元明天皇の712年に完成した歴史書を『日本書紀』という。

問8　×　遣唐使ではなく、遣隋使が正しい。小野妹子は遣隋使の大使として隋に渡り、隋の煬帝に「日出づる処の天子……」で始まる国書を献上した。

問9　×　山背大兄王ではなく、中大兄皇子が正しい。中臣鎌足らの協力を得て蘇我氏を打倒し、孝徳天皇の下で皇太子として実権を握った中大兄皇子（後の天智天皇）が、645年に改新の詔を発布して大化の改新が始まった。

問10　○　壬申の乱とは671年に天智天皇が死去し、翌年大友皇子の近江朝廷側と吉野の大海人皇子が皇位をめぐって争った内乱であり、大海人皇子が勝利し、673年に天武天皇として即位した。

問11　×　設問文は薬師寺の説明である。法隆寺は7世紀初めに大和の斑鳩に聖徳太子が建立した寺院である。

問12　○　大化の改新から平城京遷都に至る時代（645～710年）の文化を白鳳文化といい、律令国家建設期の清新さと明朗性が特色である。

問13　○　阿倍仲麻呂は717年に留学生として唐に渡り、唐朝に仕官して玄宗皇帝に重用され、詩人の李白らと交友した。753年、帰国途上に風波により帰れず、唐に留まって長安で死去した。

問14　×　設問文は『古事記』の説明。『日本書紀』は元正天皇の720年に完成し神代から持統天皇に至る天皇中心の国家成立史である。『古事記』と『日本書紀』をあわせて『記紀』と略称する。

以下の記述を読み、正しいものには〇、誤っているものには×をつけよ。

問 15
check✓
□□□
『万葉集』は、751 年に成立した日本最古の漢詩集であり、64人の詩 120 編が集められている。

問 16
check✓
□□□
797 年に桓武天皇によって征夷大将軍に任命された坂上田村麻呂は、東北地方に遠征して蝦夷を討伐した。

問 17
check✓
□□□
藤原時平が菅原道真を讒言して九州の大宰府に左遷した事件を、安和の変と呼ぶ。

問 18
check✓
□□□
藤原道隆は、摂政・関白となって娘を一条天皇の皇后として嫁がせた。この娘が『枕草子』の作者・清少納言が仕えたことで有名な中宮彰子である。

問 19
check✓
□□□
天皇・上皇・法皇の命によって歌人が編集した和歌集のことを、勅撰和歌集という。

問 20
check✓
□□□
関東一帯を占拠した平将門と、瀬戸内西部の海賊を率いて大宰府に侵入した藤原純友の反乱を総称して、承平・天慶の乱という。

問 15　✕　設問文は『懐風藻』についての説明である。『万葉集』は770年頃に編集されたといわれている。仁徳天皇から759年までの和歌約4500首が収録され、万葉仮名で記されて詩形・作者とも幅広い。

問 16　○　坂上田村麻呂は、791年から数回蝦夷征討に従軍し、蝦夷の族長を降伏させた。797年に桓武天皇によって征夷大将軍に任命され、胆沢城・志波城を築いて蝦夷経営の拠点を前進させた。

問 17　✕　安和の変とは、969年に左大臣源高明を藤原氏が失脚させた事件であり、藤原氏全盛を築く契機となった。藤原時平が菅原道真を左遷させたことは正しく、菅原道真は901年に大宰府に左遷され、903年に死去した。

問 18　✕　設問文の前半は正しいが、道隆の娘で清少納言が仕えたことで有名なのは中宮定子である。中宮彰子は藤原氏の全盛期を現出した藤原道長の娘であり、『源氏物語』の作者・紫式部が仕えたことで有名である。

問 19　○　天皇・上皇・法皇の命によって編まれた和歌集を勅撰和歌集といい、905年に醍醐天皇の命によって編纂された『古今和歌集』に始まり、室町時代の『新続古今和歌集』までに計21集（二十一代集）が編まれた。

問 20　○　平将門は939年に反乱を起こして常陸・下野・上野の国府を攻略し、新皇と称して関東一帯を占拠したが、940年に平貞盛・藤原秀郷により討伐された。藤原純友は同じ939年に乱を起こして大宰府を焼き討ちしたが、941年に源経基によって平定された。

問 題

以下の記述を読み、正しいものには〇、誤っているものには×をつけよ。

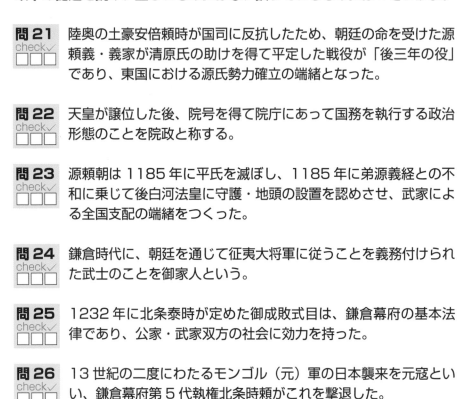

問 21
check☑
☐☐☐
陸奥の土豪安倍頼時が国司に反抗したため、朝廷の命を受けた源頼義・義家が清原氏の助けを得て平定した戦役が「後三年の役」であり、東国における源氏勢力確立の端緒となった。

問 22
check☑
☐☐☐
天皇が譲位した後、院号を得て院庁にあって国務を執行する政治形態のことを院政と称する。

問 23
check☑
☐☐☐
源頼朝は1185年に平氏を滅ぼし、1185年に弟源義経との不和に乗じて後白河法皇に守護・地頭の設置を認めさせ、武家による全国支配の端緒をつくった。

問 24
check☑
☐☐☐
鎌倉時代に、朝廷を通じて征夷大将軍に従うことを義務付けられた武士のことを御家人という。

問 25
check☑
☐☐☐
1232年に北条泰時が定めた御成敗式目は、鎌倉幕府の基本法律であり、公家・武家双方の社会に効力を持った。

問 26
check☑
☐☐☐
13世紀の二度にわたるモンゴル（元）軍の日本襲来を元寇といい、鎌倉幕府第5代執権北条時頼がこれを撃退した。

問21　✕　設問文は前九年の役（1051〜62年）の説明。後三年の役（1083〜87年）とは、清原氏の相続争いに陸奥守として赴任した源義家が介入した戦役であり、源氏の信望は東国に高まり、武家の棟梁としての地位を確立した。

問22　○　天皇譲位後、院号（譲位後の居所による称号）を得て上皇もしくは法皇となって院庁で国務を執行する政治形態を院政といい、1086年の白河上皇以降、19世紀の光格上皇まで27人が院政を行ったが、平安時代末期には武家政権と対立し、承久の乱（1221年）以後は形式化した。

問23　○　源頼朝は弟の範頼・義経を遣わして平氏を滅ぼし、不和となった義経追討を名目に後白河法皇に守護・地頭設置を認めさせて武家による全国支配の端緒をつくった。1189年に義経をかくまったことを理由に奥州藤原氏を滅ぼし、1192年に征夷大将軍に任じられ、鎌倉幕府を開いた。

問24　✕　御家人とは鎌倉時代に将軍と直接主従関係を結んだ武士のことを指す。将軍から本領安堵などの御恩を受けたことに対し、幕府の軍役などの奉公を負い、強固な主従関係を形成した。

問25　✕　1232（貞永元）年に北条泰時が定めた御成敗式目（貞永式目）は、鎌倉幕府の基本法律51カ条であり、源頼朝以来の先例や武家社会の道理を基準として御家人の権利義務や所領相続の規定が記されているが、適用は武家社会に限定され、朝廷の支配下では公家法、荘園領主の下では本所法が効力を持っていた。

問26　✕　文永の役（1274年）、弘安の役（1281年）の二度にわたる元寇を撃退したのは第8代執権北条時宗である。第5代執権北条時頼は時宗の父であり、北条得宗家専制の道を開いた人物である。

問　題

以下の記述を読み、正しいものには〇、誤っているものには×をつけよ。

問27
check ☑☐☐
法然は、1175年に京都東山の吉水で専修念仏の教えを唱え、浄土宗を開き、旧仏教の迫害を受けたが、多くの信者を獲得した。

問28
check ☑☐☐
日蓮が1260年に前執権北条時頼に提出した『立正安国論』は、幕府の財政再建策を説いた建白書である。

問29
check ☑☐☐
後醍醐天皇が鎌倉幕府打倒を目指したが、近臣の吉田定房の密告により失敗した事件のことを元弘の変という。

問30
check ☑☐☐
1333年に新田義貞が六波羅探題を攻略し、足利高氏が鎌倉を攻めて、北条高時以下一族が自殺することによって鎌倉幕府は滅亡した。

問31
check ☑☐☐
鎌倉幕府滅亡後、後醍醐天皇を中心に天皇親政を復活させた政治を建武の新政という。

問32
check ☑☐☐
室町幕府3代将軍足利義満は、有力守護大名を抑えて幕府権力を確立し、南北朝の合体や日明間の国交開始による朱印船貿易を実現した。

問27　○　浄土宗の開祖法然は、誰でも自らの浅はかな自尊心を捨て阿弥陀如来の無限の包容力という他力を信じ、その名を一心に称えれば必ず救われるという専修念仏の教えを説いた。

問28　×　日蓮は1260年に『立正安国論』を北条時頼に提出したが、内容は財政再建策を述べたものではなく、天変地異の続発の原因を法華経の正法に背くからであるとし、念仏の邪法を禁じないなら自国の反乱と他国からの侵略を招く、と予言したものである。日蓮はこの書のために伊豆に流罪となった。

問29　○　1331（元弘元）年、後醍醐天皇の二度目の倒幕計画のことを元弘の変といい、近臣吉田定房の密告により失敗して後醍醐天皇は捕らえられて隠岐に流された。

問30　×　新田義貞と足利高氏を逆にすると正しい文章になる。後醍醐天皇に呼応した足利高氏は六波羅探題を攻略して鎌倉幕府崩壊の契機をつくり（幕府滅亡後、後醍醐天皇の名尊治の一字を許され「尊氏」と改名）、新田義貞は鎌倉を攻めて鎌倉幕府を滅ぼした。

問31　○　建武の新政とは、後醍醐天皇による天皇親政を指し、古代的天皇親政の復活を目指したが、足利尊氏の反乱によって3年足らずで崩壊した。

問32　×　足利義満は有力守護大名を抑えて幕府権力を確立し、半世紀に及ぶ南北朝の対立を終了させたが、義満の開始した日明間の貿易は勘合貿易という。朱印船貿易は、江戸時代初期の貿易形態である。

問 題

以下の記述を読み、正しいものには〇、誤っているものには×をつけよ。

問 33
check✓
□□□
1428 年に近江の馬借の蜂起を契機として、近畿一円に広がった土一揆のことを、正長の土一揆という。

問 34
check✓
□□□
1467 年に細川勝元と山名持豊の対立に将軍継嗣争いと畠山・斯波家の家督相続争いがからんで起こった大乱を、応仁の乱という。

問 35
check✓
□□□
甲斐国の武田晴信は、父信虎を追放して家督を継ぎ、甲斐・信濃・越後・駿河・遠江を支配する勢力を誇った。

問 36
check✓
□□□
天下統一を目前にした織田信長を、家臣の羽柴秀吉が 1582 年に京都の本能寺に襲って殺した事件を、本能寺の変という。

問 37
check✓
□□□
徳川家康は 1600 年の関ヶ原の戦いに勝利することで豊臣氏を滅ぼし、徳川氏の覇権を確立させた。

問 38
check✓
□□□
1637 年に起こった大規模な一向一揆を島原・天草一揆といい、天草四郎を大将として 3 万 8000 人の農民が原城跡に篭って抵抗した。

問 39
check✓
□□□
五街道とは江戸時代に整備された日本橋を起点とする幹線道路であり、東海道・中山道・甲州道中・日光道中・奥州道中の 5 つをいう。

問33　○　正長の土一揆は、1428（正長元）年の近江の馬借の蜂起を契機に山城国から畿内一円に波及した土一揆であり、私徳政を発して幕府と抗争し、「日本開闢以来土民蜂起是れ初め也」と称された。

問34　○　応仁の乱は、細川勝元と山名持豊の対立に将軍継嗣争いと畠山・斯波家の家督相続争いがからんで起こった11年間に及ぶ大乱であり、公家勢力と将軍の権威はこれによって失墜し、戦国時代となった。

問35　×　武田晴信（出家して信玄と号す）の支配地域に越後は含まれない。越後は上杉謙信の支配地域であり、両者は信濃国の支配権をめぐり、川中島において数度にわたって対陣した。

問36　×　本能寺の変を起こしたのは明智光秀であり、羽柴秀吉は本能寺の変の後に山崎の戦いで明智光秀を破り、織田政権を継承して全国統一への道を開いた。

問37　×　関ヶ原の戦いに勝利することで徳川氏の覇権が確立したが、豊臣氏が完全に滅亡するのは1615年の大坂夏の陣においてである。

問38　×　島原・天草一揆は、1637年から38年にかけて発生したキリシタン農民の一揆である。天草四郎を大将とする一揆軍に対し、幕府は12万人を動員して半年間の包囲の末に鎮圧した。

問39　○　五街道は、江戸幕府が整備したもので道中奉行（1659年創設）が管轄した。東海道、中山道、甲州道中、日光道中、奥州道中の本街道に対し、それ以外の脇路を脇街道といい、北国街道や中国街道、山陰道、伊勢街道などが挙げられる。

以下の記述を読み、正しいものには〇、誤っているものには×をつけよ。

問40
check✓
□□□
『おくのほそ道』は、松尾芭蕉が門弟の曽良と江戸から東北・北陸地方を経て、美濃国大垣に至るまでを描いた俳諧紀行文である。

問41
check✓
□□□
1858年に大老に就任した井伊直弼は、勅許を得ることなく日米修好通商条約に調印し、朝廷や反対派大名の家臣などを弾圧する目的で安政の大獄を実施したが、桜田門外で暗殺された。

問42
check✓
□□□
江戸幕府末期に主張された公（朝廷）と武（幕府）の提携による政局安定策を公武合体といい、公武合体派の運動によって孝明天皇の妹である和宮が、1862年に将軍・慶喜と結婚（降嫁）した。

問43
check✓
□□□
徴兵告諭とは、1872年11月に全国徴兵の詔に基づいて出された太政官布告であり、これに反対した農民たちによって引き起こされた一揆を血税一揆という。

問44
check✓
□□□
1889年に発布された大日本帝国憲法は、フランスの憲法に範を取り、伊藤博文らによって起草された欽定憲法である。

問45
check✓
□□□
1894年に勃発した日清戦争に勝利した日本は、ポーツマス条約を締結することで、清から多額の賠償金と植民地を獲得した。

問40　○　伊賀国出身の俳人・松尾芭蕉は、蕉風を確立し、俳諧を和歌と対等の芸術的地位に引き上げた。『おくのほそ道』は門弟曽良と江戸を立ち、東北・北陸地方を経て美濃国大垣に至る紀行文である。

問41　○　彦根藩主であった井伊直弼は、大老に就任後日米修好通商条約に調印して開国し、反対派を安政の大獄で弾圧した。これに反発した尊皇攘夷派の志士（水戸浪士17人、薩摩浪士1人）が、江戸城桜田門へ登城途中の井伊直弼を暗殺し（桜田門外の変）、幕府の権威は大きく失墜した。

問42　×　設問文の前半は正しいが、孝明天皇の妹である和宮が降嫁したのは、14代将軍徳川家茂である。徳川慶喜は家茂の死後、一橋家から出て15代将軍となった人物である。

問43　○　徴兵告諭の中の「…西人コレヲ称して血税トイフ。ソノ生血ヲ以テ、国ニ報ズルノ謂ナリ」という言葉を、実際に生血を取られることと勘違いし、血税反対を叫ぶ農民たちによって起こった徴兵令反抗一揆であるため、「血税一揆」と称されている。

問44　×　1889年2月11日に発布された大日本帝国憲法は、伊藤博文らの起草でドイツ憲法を模範として作成され、主権在君制をとっていたが、1947年の日本国憲法施行により廃止された。

問45　×　ポーツマス条約は1905年に締結された日露戦争の講和条約であり、日清戦争の講和条約は1895年に締結された下関条約である。下関条約において清は朝鮮の独立を認め、日本は清から賠償金2億両を得たほか、遼東半島、台湾、澎湖諸島を割譲された。

以下の記述を読み、正しいものには○、誤っているものには×をつけよ。

問46
check✓
□□□
1910年の韓国併合条約によって日本は韓国を併合し、伊藤博文を初代総督とする朝鮮総督府を設置した。

問47
check✓
□□□
立憲政友会の総裁として首相に就任した原敬は、日本初の本格的政党内閣であるとされる。

問48
check✓
□□□
1936年5月15日に発生した陸軍青年将校を中心とするクーデタを五・一五事件といい、首相官邸・警視庁・朝日新聞社などを襲撃し、重臣たちを殺害したが、反乱軍として鎮圧され、軍部の発言権が強化される契機となった。

問49
check✓
□□□
太平洋戦争の転換点となったのが1942年6月のミッドウェー海戦であり、この敗戦によって日本の連合艦隊の主力は壊滅的打撃を受けた。

問50
check✓
□□□
1945年8月に日本がポツダム宣言を受諾したことによって日本占領のために設置された連合国軍の最高司令部のことをGHQと称する。

問51
check✓
□□□
日本は1951年のサンフランシスコ講和会議により、第二次世界大戦において交戦した全ての国々と講和条約を結び、主権を回復した。

問46　✕　伊藤博文は 1909 年にハルビンで韓国独立運動家の安重根に暗殺され、この事件と韓国首相襲撃事件を契機として日本は韓国併合に踏み切った。朝鮮総督府の初代総督は陸軍大将寺内正毅である。

問47　◯　立憲政友会総裁の原敬は、華族の爵位を持っていない最初の首相として軍部・外務大臣以外の閣僚に立憲政友会員を登用し、最初の本格的政党内閣と称され、国民からは平民宰相として人気が高かった。

問48　✕　設問文は 1936 年 2 月 26 日に発生した二・二六事件の説明である。五・一五事件は、1932 年 5 月 15 日に発生した海軍青年将校中心のクーデタであり、首相官邸・警視庁・日本銀行を襲撃して犬養毅首相を射殺、政党内閣に終止符を打つことになった。

問49　◯　日米間の太平洋戦争の戦局の転換点となったのがミッドウェー海戦であり、日本の連合艦隊の主力が壊滅的打撃を受けたことにより、制海・制空権を失い、敗戦へと進むことになった。

問50　◯　連合国軍最高司令官総司令部（GHQ）は、アメリカのマッカーサー元帥を最高司令官として日本政府に指令・勧告を発して間接統治を行った。

問51　✕　サンフランシスコ講和会議とサンフランシスコ平和条約によって日本は主権を回復するが、会議には中国は招かれず、インド・ビルマ・ユーゴスラヴィアは不参加、ソ連・ポーランド・チェコは調印を拒否した。

日本史

問 52
check✓
□□□

豊臣秀吉は、1587 年に「伴天連（バテレン）追放令」を発布した。この法令に関連した以下の文のうち、正しいものはどれか。

1　キリスト教徒となった農民の多くが一揆に加わり、大名たちに反乱を起こした。

2　諸大名たちはこの法令を守り、拷問や踏絵などで日本人教徒たちの改宗を強制した。

3　この法令により、外国人の宣教師が国外に追放されたため、多くの日本人教徒が自主的に改宗した。

4　この法令により、宣教師は追放されることとなったが、貿易が奨励されていたため、趣旨は徹底しなかった。

5　この法令により、日本人のキリスト教徒が国外に追放されたため、日本のキリスト教はほとんど根絶やしになってしまった。

問 53
check✓
□□□

明治政府の殖産興業について述べた以下の文のうち、誤っているものはどれか。

1　政府は近代工業の移植・育成を目指し、富岡製糸場などの官営工場を設立して、民間の企業家に模範を示した。

2　政府は海運業を振興するために岩崎弥太郎の事業を手厚く保護したので、これを足がかりとして岩崎は政商として大きく発展した。

3　政府は鉄道の建設を重視したが、財政難のため、最初の鉄道敷設事業を華族や企業家に委ねた。

4　軍需産業の育成を重視した政府は、東京・大阪の砲兵工廠や横須賀・長崎の造船所などを拡大・整備していった。

5　貨幣・金融制度が整備されたため、明治 10 年代末から 20 年代初頭にかけて鉄道業や紡績業部門を中心に会社設立のブームが起こった。

問52　正解　4

　設問文の「伴天連（バテレン）追放令」とは、1587年に豊臣秀吉が発布したキリスト教宣教師（バテレン・伴天連）の国外追放令であり、九州平定の後、博多で発令された。キリシタンを邪教とし、バテレンを20日以内に帰国させるよう命じたものである。ただし、貿易は従来通り認めた。

1　×　この時点でキリシタンの一揆は発生していない。

2　×　踏絵（キリシタンを検出するために聖画像を踏ませる）などによる改宗の強制は、豊臣政権ではなく、江戸幕府の政策である。

3　×　キリシタンの自主的改宗は、この時期には起こっていない。

4　○　豊臣秀吉は宣教師は追放したものの、ポルトガル船による南蛮貿易は奨励していたため、法令の趣旨は徹底しなかった。

5　×　日本のキリスト教が壊滅的になるのは江戸時代である。

問53　正解　3

1　○　富岡製糸場は、政府の殖産興業政策によって設立が進められた官営模範工場の一つで、1872年に群馬県富岡に設立された。

2　○　岩崎弥太郎は土佐藩出身で、藩の通商に従事し1870年に九十九商会を設立して海運業に進出した。政府に密着することで、佐賀の乱、台湾出兵、西南戦争の軍事運送を独占し、三菱財閥の基礎を確立した。

3　×　最初の鉄道敷設事業は官営事業として伊藤博文・大隈重信が中心となって進められ、1872年に新橋・横浜間に開通した。

4　○　全て江戸幕府の施設を受け継ぎ、拡大・整備したものである。

5　○　松方財政下の官営工場払い下げ政策以降、明治10年代末から年代初頭にかけて鉄道・紡績・鉱山業部門を中心に機械制大工業が移植され、会社設立のブームが起こった。

問　題

以下の記述を読み、正しいものには〇、誤っているものには×をつけよ。

問1
フランスで発見されたクロマニョン人は、居住している洞窟に壁画を残した。スペインのラスコー洞窟や、フランスのアルタミラ洞窟の壁画は有名である。

問2
今から1万年前に後氷期に入り、気候が温暖化した。すでに人類は文字を利用して記録を残しており、それによれば磨製石器を用いて農耕・牧畜を行っていたことが判明している。

問3
中国史上の戦国時代は、晋が分裂して成立した韓・魏・趙3国や燕・斉・楚・秦など、いわゆる「戦国の七雄」が興亡した時代であった。

問4
秦末の混乱の中から台頭した劉邦によって、前漢が建設された。この国は武帝時代に最盛期を迎えた後まもなく衰退し、赤眉の乱を起こした外戚の王莽が新を建国した。

問1　×　洞窟が存在する国名が逆。またラスコー洞窟には人間が居住した形跡がない。現生人類（新人・ホモ＝サピエンス＝サピエンス）は、更新世（洪積世、約200万年前〜1万年前）末期に出現したと考えられ（南アフリカでは約10万年前）、打製石器を用い（旧石器時代）、狩猟（ぎょろう）・漁撈・採集により食料を得ていた（獲得経済）。その中で、ラスコー（仏）やアルタミラ（西）の洞窟美術で有名なクロマニョン人は、白色人種の直接の祖先で、今から約3万年前に出現したと考えられている。

問2　×　文字の発明は青銅器時代である。約1万年前に完新世（沖積世）に入ると、人類は磨製石器を用い（新石器時代）、農耕・牧畜を行うようになる（生産経済）。その後、西アジアでは前3000年頃に青銅器の生産が始まる（青銅器時代）が、この時代には灌漑農業が発達して農業生産力が増し、余剰生産物（食料余剰）が発生するようになった。このため、農業に従事しない人々（社会余剰）の存在が可能となり、都市が形成され支配者が生まれるようになる。そして、統治や祭祀（し）用に記録を残す必要から、文字が発明されたのであった。

問3　〇　「春秋の五覇」の一人であった文公を生んだ晋が分裂して韓・魏・趙3国が誕生し（前453・451）、これらを周王が諸侯として追認した時期（前403）をもって、春秋時代から戦国時代に入る。戦国時代には諸侯勢力はますます強大化し、周王を無視する下剋上（げこくじょう）の風潮が広まっていく。この乱世を統一したのが、法家思想を採用して内政改革を行った秦であった。

問4　×　「赤眉の乱を起こした」の部分が間違い。新（8〜23）を建国した王莽（おうもう）は、西周を理想とする復古主義的政治を行ったが混乱を招き、赤眉の乱（せきび）（18〜27）を始めとする反乱続発の中で、新は滅亡した。そして漢を再建して（25〜220）、赤眉の乱を鎮圧したのが劉秀（後漢の光武帝）であった。

以下の記述を読み、正しいものには〇、誤っているものには×をつけよ。

問5
check✓
☐☐☐
後漢滅亡後の中国は、魏・呉・蜀3国が華北・江南・四川に分立する三国時代を迎えた。蜀が魏の攻撃で滅亡した後、魏の帝位を簒奪した司馬氏が建国した西晋が呉を滅ぼし、中国を再統一した。

問6
check✓
☐☐☐
第2代の李世民時代の唐帝国は、開元の治といわれる繁栄の時代であった。この時代に中国統一が完成し、律令体制の整備が進んだ。

問7
check✓
☐☐☐
文治主義政策をとった北宋は、靖康の変で滅亡した。この事件は、燕雲十六州を巡り北宋と対立した遼が北宋の都であった開封に侵入して、多くの皇族・高官を北方に拉致した痛ましい事件であった。

問8
check✓
☐☐☐
農耕地帯を支配下においた遼は、南面官が農耕民を州県制によって支配する一方、狩猟・遊牧民は北面官が猛安謀克によって支配する二重統治体制をしいた。

問5　○　黄巾の乱（184）の後、後漢では各地の豪族が自立して群雄割拠の形勢となる。その中で台頭したのが、華北の曹操・曹丕父子と江南の孫権、さらに赤壁の戦い（208）後に新天地を四川に求めた劉備であった。曹丕（魏の文帝）が支配下の後漢の皇帝を廃して魏を建国すると（形式上は禅譲）、孫権・劉備は呉・蜀を建国して三国時代（220～280）が始まる。

問6　×　「開元の治→貞観の治」と直す。隋の外戚であった李淵（彼と隋の煬帝は従兄弟同士）は、李世民の勧めで挙兵し唐を建国した。その後、兄と弟を殺害して帝位についた李世民（太宗）は善政をしき唐朝の基礎を確立した。彼の善政の様子は、玄宗時代に呉兢が編纂した『貞観政要』に詳述され、東アジア各国で政治の手本とされる。なお開元の治は、玄宗時代の初期～中期の善政を指す。

問7　×　靖康の変（1126～27）は、金が侵入して北宋を滅ぼした事件である。北宋と遼は、燕雲十六州を巡り対立を続けた後、澶淵の盟（1004）を結び和解し、両国の関係を兄弟とした。その後、遼から女真が独立して金を建国すると（1115）、北宋は金と結んで遼を滅ぼすことに成功する。しかし、北宋は遼との戦闘に敗れた上に金に対する歳幣支払いの約束を守らず、これを不満とした金は開封に攻め込み、上皇の徽宗や皇帝の欽宗以下3000名余りを北方に連れ去った。

問8　×　「猛安謀克→固有の部族制」と直す。華北に進出した北魏が漢化政策をとったのと対照的に、遼は契丹族独自の文化の保持に努めた。このため、漢人・高麗人などには州県制をしき、契丹人・女真人などは固有の部族制で統治した。契丹文字の制定（漢字を基に大字が、ウイグル文字を基に小字が作られた）も、独自性保護の一環である。なお猛安謀克（制）は、後に金を建国する女真族の制度である。

以下の記述を読み、正しいものには〇、誤っているものには×をつけよ。

問9
check✓
□□□
元朝時代には東西交流が盛んで、モンテ＝コルヴィノなどのフランチェスコ派修道士や、マルコ＝ポーロ、イブン＝バットゥータなどが都の大都を訪れた。

問10
check✓
□□□
明朝は、紅巾の乱の中から頭角を現わした朱元璋によって建国された。彼は中書省を廃止して六部を皇帝直属とするなど、皇帝独裁体制の強化に努めた。

問11
check✓
□□□
清朝は、乾隆帝時代に現在の新疆ウイグル自治区に当たる地域を平定し、最大領域となった。また彼は、キリスト教の布教を認め開港場を増やすなど、開明的な統治を行った。

問12
check✓
□□□
ハンムラビ法典が作成された古バビロニア王国は、セム語族のアムル人が建国した国家であったが、アッシリア帝国によって征服された。

問9　○　フランチェスコ派修道士では、元朝成立前にプラノ＝カルピニやウィリアム＝ルブルックが、カラコルムを訪れている。**モンテ＝コルヴィノ**は、大都で30余年間カトリック布教に従事し、教皇により大都教区大司教に任じられた。マルコ＝ポーロ（ヴェネツィア出身）とイブン＝バットゥータ（モロッコ出身）の来訪と、彼らの体験を口述筆記した『世界の記述』『三大陸周遊記』も有名である。

問10　○　貧農から皇帝となった朱元璋（太祖洪武帝）には、自らが下層民の出身であるだけに官僚の綱紀粛正を行うなど仁君としての側面と、自らの地位がねらわれているのではないかという強い猜疑心が同居していた。このため、皇帝に対する謀反の疑いから数万名を処刑する**恐怖**政治を行うとともに権力の分散を図り、ここに北宋以来の**皇帝独裁**体制が完成することになる。

問11　×　「キリスト教…行った」の部分が間違い。典礼問題のゆえに雍正帝が1724年に禁止したキリスト教の布教が再び公認されるのは、**アロー戦争後**（1858年の天津条約で規定され、60年の北京条約を経て実施）。**乾隆帝**は、外国貿易を広州一港に制限する（1757）とともに、公行による貿易独占体制（1686）を継続した。なお、乾隆帝時代に征服された（1758・59）ジュンガル部やタリム盆地のウイグル人地区は**新疆**と名づけられ、理藩院管轄下の藩部とされた。

問12　×　「アッシリア帝国→ヒッタイト王国」と直す。古バビロニア王国（バビロン第1王朝）は、ハンムラビ王時代（前18C）にメソポタミア全域を統一したが、その後は一地方勢力に転落していた。このバビロニアを、小アジア半島からメソポタミアに進出したヒッタイト王国が征服した（前16C初）。だが、まもなく内紛が起こりヒッタイトもメソポタミアから撤退する。代わってメソポタミアを支配したのが、**カッシート**王国であった。ちなみにヒッタイトは内紛終結後に鉄製武器を用いて強勢となり、最盛期を迎える（前14C）。

以下の記述を読み、正しいものには〇、誤っているものには×をつけよ。

問 13
ササン朝ペルシア帝国の最盛期は、6 世紀のホスロー 1 世の時代である。彼はビザンツ皇帝ユスティニアヌス 1 世と抗争を繰り返す一方で、侵入を繰り返すエフタルを突厥と結んで滅ぼした。

問 14
イスラム教は、メッカで 7 世紀に創始された。「アラーの代理人」とされたムハンマドの下で、ムスリムたちは異教徒に対するジハードを行い、急速に勢力を拡大していった。

問 15
アッバース朝が衰退し、各地の総督や将軍が事実上独立していく中で、10 世紀にはアッバース朝カリフに加えてファーティマ朝と後ウマイヤ朝の君主が、カリフを称するようになった。

問 16
ティムール朝滅亡後にイランに興ったサファヴィー朝は、シーア派イスラムを国教として繁栄したが、オスマン帝国の圧迫を受けてタブリーズから最終的にイスファハーンに遷都した。

問13　○　エフタルは5世紀に台頭した騎馬遊牧民（の国家）。彼らは、ヒンドゥークシュ山脈一帯を拠点に、イランのみならずインドにも侵入し、これがグプタ朝衰退の一因となった。**ホスロー1世**は、モンゴル高原で台頭した突厥と結び、エフタルを滅ぼすことに成功した。また彼はビザンツ帝国と激しい抗争を繰り返し、**ユスティニアヌス1世**が“異端の牙城”としてアカデメイア（かつてプラトンがアテネ郊外に設立した学園）を閉鎖すると、亡命した学者を保護した。

問14　×　「アラーの代理人→最後にして最も優れた預言者」と直す。**預言者**とは神の啓示を人々に伝える者のこと。イスラム教ではムハンマドのほかに、アダム・ノア・モーセ・ダヴィデ・ソロモンなど、計25名の**預言者**を認めている。ムハンマドの口から語られたアッラーの啓示を編纂したものが、**コーラン**（“詠むべきもの”の意味）である。イスラム教では、“**コーランか貢納か剣か**”の方針の下で、改宗も納税も拒否した異教徒への聖戦（ジハード）が進められた。

問15　○　ハールーン＝アッラシード（位786〜809）の没後、**アッバース朝**は衰退し、各地に**地方政権**が分立する。さらに10世紀には**後ウマイヤ朝・ファーティマ朝・アッバース朝**の君主がカリフと称する3カリフ国鼎立時代を迎え、アッバース朝は東カリフ国と呼ばれる。その上946年にブワイフ朝がアッバース朝の都バグダードを占領すると、政治上の実権はブワイフ朝に移り、イスラム世界の**政教分離**が進むことになる（完成するのはセルジューク朝時代）。

問16　○　アゼルバイジャンに興った**サファヴィー朝**は、当初はタブリーズを首都としていたが（1501）、西方からスンナ派のオスマン帝国の攻撃に晒され、カズウィンを経て（48）、最盛期のアッバース1世時代に**イスファハーン**に遷都した（98）。“イスファハーンは世界の半分”という言葉が示すように、新都は経済的に繁栄し**イラン＝イスラム文化**が花開いた。

問　題

以下の記述を読み、正しいものには〇、誤っているものには×をつけよ。

問 17
check✓
□□□
小アジア半島に興ったオスマン帝国は、ビザンツ帝国を圧迫してバルカン半島に進出したが、東方から侵入したティムール軍にコソヴォの戦いで大敗し、滅亡の危機に陥った。

問 18
check✓
□□□
祭式至上のバラモン教に対する反省から、ウパニシャッド哲学が生まれた。この影響下に、ガウダマ＝シッダールタやヴァルダマーナが仏教やシク教などの新しい宗教を作り上げていった。

問 19
check✓
□□□
北インドでは、マウリヤ朝・クシャーナ朝・グプタ朝・ヴァルダナ朝などの諸王朝が、いずれもパータリプトラを首都として興亡を繰り返した。

問 20
check✓
□□□
アラビア海では古代よりダウ船を用いた季節風貿易が盛んであった。ローマ帝国とサータヴァーハナ朝との間で行われた貿易の様子は、『エリュトゥラー海案内記』に詳述されている。

問17　×　「コソヴォの戦い→アンカラの戦い」と直す。オスマン帝国は、コソヴォの戦い（1389）でセルビア諸侯などの連合軍を撃破し、これによりバルカン半島の大部分を支配下におく。この直後に即位した第4代バヤジット1世は、キリスト教諸国の連合軍を**ニコポリスの戦い**（96）で撃破し、さらに**コンスタンティノープル**を包囲した。しかし彼は、小アジアに侵入したティムール軍に**アンカラの戦い**（1402）で大敗し、捕虜となって病没することになる。

問18　×　「シク教→ジャイナ教」と直す。**シク教**は、イスラム教とヒンドゥー教の革新運動であるスーフィズムとバクティ信仰の影響を受け、16世紀にナーナクが作り上げた宗教で、北インドを中心に多くの信者を得て強い結束を示し、現在に至っている。一方**ジャイナ教**も、信者数こそ人口の1％にも満たないが、現在でも商業界を中心に強い団結を誇っている。

問19　×　クシャーナ朝の都はプルシャプラ（現在のペシャワール）、ヴァルダナ朝の都はカニヤークブジャ（現在のカナウジ）である。一方、パータリプトラ（現在のパトナ）に首都においた**マウリヤ朝**と**グプタ朝**は、アーリヤ人がガンジス川下流域に建国し、仏教やジャイナ教が広まったマガダ国の王朝の一つである。このように幾つもの王朝が興亡を繰り返した**マガダ**国は、グプタ朝時代の繁栄を最後に、歴史上から姿を消していった。

問20　○　『エリュトゥラー海案内記』は、1世紀にエジプト在住のギリシア人が執筆したものといわれ、古代の**東西交易**を知る上の重要な資料。ローマの博物学者プリニウス『博物誌』によれば、アラビア南部からインド南西部へは約40日間を要したという。ダウ船は、船板をココヤシの繊維から作った紐で縫い合わせて建造されたもので、逆風にも有効な三角帆を装備しており、小型ながら高速であった。なお、**サータヴァーハナ**朝（前1～後3世紀）はアーンドラ朝とも呼ばれる。

問 題

以下の記述を読み、正しいものには〇、誤っているものには×をつけよ。

問21
check✓
□□□
シュリーマンがクノッソスの遺跡を、エヴァンズがトロヤやミケーネの遺跡を発見したことで、かつてホメロスが『イリアス』『オデュッセイア』に詠い上げたエーゲ文明の存在が明らかにされた。

問22
check✓
□□□
古代ローマでは、護民官の設置や十二表法の制定に続いて、リキニウス＝セクスティウス法で平民出身のコンスルが誕生し、ホルテンシウス法で平民が元老院議員となる道が開かれた。

問23
check✓
□□□
フランク王国はカール大帝の時代に最盛期を迎えた後、まもなくヴェルダン条約・メルセン条約で３分割された。これが、現在のイギリス・フランス・イタリアの原型となる。

問24
check✓
□□□
ノルマン人は欧州各地に侵入し、ロシアにはノヴゴロド国やキエフ公国を、北フランスにはノルマンディー公国を、イタリア南部には両シチリア王国を、イギリスではデーン朝を、それぞれ建国した。

問21　✕　シュリーマンとエヴァンズが逆である。シュリーマン（独）はホメロスの叙事詩に描かれたトロヤ戦争を実話と信じ、実業家として成功した後、発掘に着手した。ダーダネルス海峡に近いヒッサルリクの丘で**トロヤ**文明の遺跡を発見して学界の定説をくつがえし、続いて**トロヤ**戦争の敵ミケーネ文明の遺跡を次々に発掘していった。一方クレタ島のクノッソス宮殿の遺跡は、考古学者エヴァンズ（英）により発見された。いずれも 19 世紀末〜20 世紀初頭のことである。

問22　✕　「平民が元老院議員となる道が開かれた→平民会の決議が元老院の承認なしに法的効力を得ることが決まった」と直す。ホルテンシウス法により、**貴族（パトリキ）**と**平民（プレブス）**の間で一応の法的平等が達成され、護民官が招集し議長を務める平民会の地位が確立した。

問23　✕　「イギリス→ドイツ」と直す。カール大帝の子ルイ 1 世時代、子供たちへの領土分割を巡り内乱が発生した。その結果**ヴェルダン**条約（843）で、長子ロタール 1 世が中部フランク・イタリアを相続し、西フランク・東フランクは弟 2 名が獲得することになる。さらにロタール 1 世は自領を子供たちに分割して没し（55）、彼から中部フランクを相続したロタール 2 世も没す（69）。ここに中部フランクは、**ロタール 1 世の弟 2 名**によって、ほぼ現在の仏語・独語の言語境界線に沿って分割された。これが**メルセン**条約である（70）。

問24　○　**東ゲルマン・西ゲルマン**による 4 〜 6 世紀の第 1 次民族移動に対し、9 〜 11 世紀に活発化した北ゲルマン（ノルマン）の活動は、第 2 次民族移動といわれる。**ヴァイキング**として恐れられた彼らは、海岸線より喫水線の浅い船で河川を遡上して内陸部に侵入し、各地に大きな被害を与えた。パリも幾度となく襲撃されているし、ロシア内陸部に侵入した彼らは分水嶺を越えてドニエプル川を下り、黒海をわたって**コンスタンティノープル**を襲っている。

以下の記述を読み、正しいものには〇、誤っているものには×をつけよ。

カペー朝のフランス王フィリップ4世は、国内の聖職者への課税問題で、教皇ボニファティウス8世と対立した。この過程で三部会が組織され、アナーニで教皇が監禁される事件が発生した。

ポルトガル艦隊は、15世紀末に初めてカリカットに到着した。その後ポルトガルは、アイユーブ朝からアラビア海の制海権を奪い、ゴアを占領して拠点とした。

ポルトガル人マゼランは、スペイン艦隊を率いて世界周航を試みた。マゼラン海峡を抜けて太平洋に出た艦隊は、ハワイ諸島を経てフィリピンに着き、そこでマゼランは戦死した。

問28
check✓
□□□

プラハ大学の神学教授ルターは、「九五ヵ条の論題」を発表し、贖宥状の販売を批判した。これを契機に宗教改革が始まり、16・17世紀には各地で宗教戦争が繰り広げられる。

問25 ○　カペー朝の王権強化に成功したフィリップ4世は、英王エドワード1世とフランドルやギュイエンヌの支配権を巡って抗争を繰り返し（両国間の抗争は後に**百年戦争**に発展する）、その費用捻出のため国内聖職者への課税やテンプル騎士団の弾圧・解散（1312）を行った。**アナーニ事件**（03）後、教皇庁は南仏のアヴィニヨンに移され（09）、仏王の支配下に置かれる（「教皇のバビロン捕囚」）。

問26 ×　「**アイユーブ朝→マムルーク朝**」と直す。バルトロメウ＝ディアスの喜望峰到着（1488）、ヴァスコ＝ダ＝ガマのカリカット到着（98）、第2代インド総督アルブケルケのゴア占領（1510）・マラッカ占領（11）と、**ポルトガルのアジア進出**は展開する。当時エジプトにあったマムルーク朝（1250〜1517）は、ディウ沖海戦（1509）で**ポルトガル**艦隊に敗れ、さらにオスマン帝国の攻撃を受け滅亡する。

問27 ×　「**ハワイ諸島→グアム島**」と直す。マゼラン（マガリャンイス）は、遠征の報酬を巡り**ポルトガル**国王と対立して**スペイン**に亡命し（1517）、総勢237名で世界周航の旅に出る（19）。大西洋・太平洋を横断して**フィリピン**に到着した彼は、セブ島で発生した原住民の抗争に介入し、マクタン島で殺害された（21）。その後、艦隊の生存者たちはモルッカ諸島に到着して香料を積載した後、18名が**スペイン**に帰還した（22）。なお**ハワイ諸島**を'発見'したのは、クックの率いるイギリス艦隊であったが（1778）、彼もハワイ島で原住民に殺害されている（79）。

問28 ×　「**プラハ大学→ヴィッテンベルク大学**」と直す。教皇レオ10世（メディチ家）が、サン＝ピエトロ大聖堂の改修費用捻出のため、フッガー家に委託して**贖宥状**（免罪符）販売を進めると、ルターは**贖宥状**と魂の救済は無関係であると**贖宥状**販売を批判した（1517）。各地の宗教戦争を最終的に終わらせるのは、**ウェストファリア条約**（1648）である。なお**プラハ大学**は、東欧・中欧初の大学で、チェコ民族運動を背景に教会改革を進めたフスが総長を務めたことで有名。

以下の記述を読み、正しいものには○、誤っているものには×をつけよ。

問29 エリザベス1世時代のイギリスは、スペイン王フェリペ2世と
check☑ 対立した。彼女は、北米への植民を試みたほか、スペイン艦隊を
□□□ アルマダ戦争で撃破し、他国に先駆けて東インド会社を設立した。

問30 英仏両国は、17世紀末より激しい植民地争奪戦を繰り返した。
check☑ その結果イギリスが勝利を収め、ユトレヒト条約・パリ条約でフ
□□□ ランスは北米植民地より全面的に撤退することになった。

問31 ボストン茶会事件を契機にアメリカ独立戦争が始まると、フラン
check☑ ス・スペイン・ロシアがアメリカの13植民地側にたって参戦し
□□□ た。

問32 フランス革命が次第に急進化する中で、山岳派による恐怖政治を
check☑ 指導した人物がロベスピエールである。まもなく彼は、穏健派に
□□□ よる「テルミドールの反動」で逮捕・処刑された。

問29　◯　当時の**フランス**はユグノー戦争（1562～98）中であったため、イギリス（正確にはイングランド）の主敵は**スペイン**であった。このためエリザベスは、オランダ独立戦争（1568～1648）を支援し、新大陸から**スペイン**に向かう船団をドレークらに襲撃させ、**スペイン**の無敵艦隊の撃退（1588）にも成功した。さらに現在のノースカロライナ州の一部に最初の**北米植民**を行う（84～87）が、これは失敗に終わる。また蘭（1602）・仏（04）に先駆けて**東インド**会社を設立した（1600）。独身のため、彼女をもってテューダー朝は断絶する。

問30　◯　ファルツ（継承）戦争（1688～97）中に始まる英仏間の植民地戦争を**第2次百年戦争**という。**ナポレオン**戦争終結（1815）で最終的に**イギリス**の勝利が確定した。北米では、スペイン継承戦争後のユトレヒト条約（1713）で、フランスはニューファンドランド・アカディア・ハドソン湾地方を**イギリス**に割譲した。さらにフランスは、七年戦争後のパリ条約（63）で、カナダ・ミシシッピ川以東のルイジアナを**イギリス**に、同川以西のルイジアナを**スペイン**に割譲し、北米から撤退した。

問31　×　「ロシア→オランダ」と直す。フランス・スペイン・オランダの3国は、それぞれ1778・79・80年に参戦した。一方ロシアのエカチェリーナ2世は、スウェーデン・デンマーク・プロイセン・ポルトガル他の欧州諸国と武装中立同盟を締結し（1780）、イギリスの海上封鎖に対抗した。**アメリカ**独立は1783年のパリ条約で承認されることになる。

問32　◯　ジャコバン派（ジャコバン＝クラブ）は穏健派～急進派までを含んでいたが、穏健派の指導者たちが脱退や失脚したため、急進派が支配することになる。彼らを中心とする急進的議員グループが**山岳派**である。パリ民衆の蜂起（1793.5～6）を利用し国民公会（1792.9～95.10）内の実権を握った**ロベスピエール**は、公安委員会を中心に**恐怖**政治を行い（1793.6～94.7）、エベール（山岳派内の急進派）・ダントン（同穏健派）も処刑したが、反対派のクーデタで処刑された。

以下の記述を読み、正しいものには○、誤っているものには×をつけよ。

問 33 check✓ □□□

ナポレオン失脚後、メッテルニヒが指導するウィーン体制の時代が始まり、フランスでもブルボン朝の専制政治が復活した。このブルボン復古王朝を打倒したのが、フランス二月革命であった。

問 34 check✓ □□□

ヴェトナム北部は始皇帝時代に中国の支配下に入り、漢代には中部に日南郡が置かれた。唐もハノイに安南都護府を設置した。五代十国時代に、北部は中国の支配から独立することになる。

問 35 check✓ □□□

シュリーヴィジャヤ王国は、スマトラ島を中心に繁栄した国であった。前期の首都パレンバンに滞在した義浄が執筆した『南海寄帰内法伝』には、上座部仏教が盛んな様子が描かれている。

問 36 check✓ □□□

アフリカ東岸の港市からは、黒人奴隷が西アジア世界へ輸出された。その際、来航したアラブ商人たちが伝えたアラビア語と現地のバントゥー語が混交し、スワヒリ語が次第に成立していった。

問33　×　「二月革命→七月革命」と直す。ナポレオン失脚後のフランスでは、ルイ16世の弟ルイ18世・シャルル10世が即位した。このブルボン復古王朝（1814～30）は**七月革命**で崩壊し、オルレアン家のルイ＝フィリップが国王となる。この時期を**七月王政**（30～48）と呼ぶが、選挙法改正運動の高揚の中で発生した**二月革命**で崩壊し、第二共和政（48～52）が始まる。この革命は欧州各地に波及し（諸国民の春）、メッテルニヒが失脚して（ドイツ三月革命の一部）、**ウィーン体制**は崩壊した。

問34　○　日南郡は現在のフエ（ユエ）付近に設置された郡で、この一部が独立して**チャンパー**（林邑・環王・占城）となる（2～15C）。ヴェトナム北部は10世紀に中国から独立した後、李朝（11C）・陳朝（13C）・黎朝（15C）が成立した。黎朝の時代に**チャンパー**を滅ぼして**南北統一**が実現する。その後ヴェトナムは、西山朝（18C末）を経て阮朝（19C初）時代に**フランス**の支配下に入った（1887）。

問35　×　「上座部仏教→大乗仏教」と直す。**上座（部）仏教**が東南アジア世界に広まっていくのは、ビルマのパガン朝（11～13C）がセイロン島より**上座（部）仏教**を導入して以降である。義浄のインド旅行は7世紀後半であるので、彼が見聞きしたパレンバンの仏教は**大乗仏教**が中心であった。同様に、ジャワ島のシャイレーンドラ朝が建設したボロブドゥール遺跡も、**大乗仏教**に基づくものである。

問36　○　黒人奴隷その他の交易で栄えたアフリカ東岸の港市としては、北から**モガデシュ・マリンディ・モンバサ・ザンジバル・キルワ・モザンビーク・ソファーラ**などが有名である。黒人奴隷ザンジュを輸出したため、この海岸はザンジュ海岸と呼ばれた。なお**バントゥー語**は、カメルーン～ナイジェリア東部を起点とし、コンゴ盆地の熱帯雨林地帯を抜けて東アフリカ東や南アフリカへ拡大していったと考えられている言語の総称で、数百に分化している（スワヒリ語も含まれる）。

以下の記述を読み、正しいものには〇、誤っているものには×をつけよ。

 問37
アステカ族は、現在のメキシコシティーの中心部にあたる地域に首都テオティワカンを置き、アステカ王国を建設したが、16世紀にスペイン人コルテスによって征服された。

 問38
19世紀末以来、米国は「カリブ海政策」を展開した。米西戦争でプエルトリコを獲得してハイチを保護国化し、パナマをコロンビアから独立させて運河地帯を租借したのも、その一環である。

 問39
露土戦争後、ビスマルクの主宰でベルリン会議が開催された。会議では、セルビア・モンテネグロ・ルーマニアの独立が認められたほか、オーストリアはブルガリアの管理権を獲得した。

問40
第一次世界大戦はロシア国民の生活を圧迫し、ペテルブルクで「血の日曜日事件」が発生した。その後、戦争を継続する政府に対して、レーニンらボリシェヴィキが十一月革命を起こす。

問37　×　「テオティワカン→テノチティトラン」と直す。テオティワカンは、現在のメキシコシティー北東50kmに計画的に建設された大都市で、同市が繁栄した時代が**テオティワカン文明**の時代（前2～後6C）である。同市の滅亡後、諸都市が分立する時期が**トルテカ文明**である（6～10C）。この文明はメキシコ北部より南下した**チチメカ族**が征服するが、その中で最後に南下した**アステカ族**は、テスココ湖上の島に首都**テノチティトラン**を建設し（14C）、次第に発展していった。

問38　×　「ハイチ→キューバ」と直す。"カリブ海は米国の裏庭"といわれた。米国は、まず第1回パン＝アメリカ会議（1889）をワシントンで開催した後、**米西戦争**（98）の講和条約（**パリ条約**）ではプエルトリコ（とグアム島）を獲得し（フィリピンを購入）、その後プラット修正条項を押しつけキューバを保護国化した（1901～34）。さらにパナマをコロンビアから独立させた上で運河地帯を租借した（1903～99）。なお**ハイチ**は中南米最初の独立国で、1804年に**フランス**より独立した。

問39　×　「ブルガリア→ボスニア・ヘルツェゴビナ」と直す。露土戦争（1877～78）後のサン＝ステファノ条約でバルカン半島で勢力を拡大した**ロシア**と、これに反対する英墺両国との対立が激化。このためビスマルクの主宰でベルリン会議が開催された。この結果、セルビア・モンテネグロ・ルーマニアの独立は再確認されたが、**オーストリア**はボスニア・ヘルツェゴビナの（イギリスはキプロス島の）管理権を獲得し、オスマン帝国内の自治領となる**ブルガリア**の領土は半減した。

問40　×　「血の日曜日事件→三月革命」と直す。三月革命（1917）は、国際婦人デー（3.8）の"パンよこせ"デモが暴動に発展したもの。新たに成立した臨時政府では、立憲民主党に続いて社会革命党右派のケレンスキーが政権を握ったが、これに対してボリシェヴィキと社会革命党左派が**三月革命**を起こす。なお「**血の日曜日事件**」（1905）は、日露戦争中に発生してロシア第1次革命の契機となった事件。

以下の記述を読み、正しいものには〇、誤っているものには×をつけよ。

問41
check✓
□□□
洪秀全はプロテスタントの影響下に上帝会を組織し、"除教安民"を掲げて南京を首都に太平天国を建設した。清朝は、曾国藩や李鴻章が組織した湘勇や淮勇の活躍により、反乱を鎮圧した。

問42
check✓
□□□
日本は江華島事件を契機に日朝修好条規を朝鮮政府に強要し、朝鮮を開国させた。その後、朝鮮で三・一運動が発生すると日本の派兵により日清戦争が始まった。

問43
check✓
□□□
第一次世界大戦に日英同盟を口実に参戦した日本は、ドイツの膠州湾租借地を占領すると、独裁体制下の袁世凱に「二十一ヵ条要求」を行い、山東省ドイツ権益の譲渡の確約などを強要した。

問44
check✓
□□□
第一次世界大戦後に開かれたパリ講和会議では、「十四ヵ条の平和原則」を掲げたウィルソン米大統領を中心に、チャーチル英首相・クレマンソー仏首相らが、会議の主導権を握った。

問41　×　「除教安民→滅満興漢」と直す。客家（広西・広東・福建・江西省などに住む移住者で差別された）出身の洪秀全は、清朝からの漢民族の独立やアヘン吸引・纏足などの悪習の撤廃を求めて、広西省金田村で蜂起した。辮髪を拒否したため「長髪賊の乱」とも呼ばれた。なお"除教安民"は、"扶清滅洋"とともに義和団のスローガンとされた言葉で、"除教"とはキリスト教排斥のこと。

問42　×　「三・一運動→甲午農民戦争」と直す。朝鮮の開国後、壬午軍乱（1882）を契機に日本勢力が後退すると、日本は巻き返しを図って甲申政変（84）を起こしたが失敗した。その後、甲午農民戦争（94）が起こり清軍が出兵すると、日本は朝鮮政府の要請がないにもかかわらず、反乱鎮圧を名目に独断で出兵し、日清戦争を引き起こした。さらに戦後は、日本人暴徒が宮廷に乱入し、反日派の王妃閔妃を殺害するという事件（95）を起こした。

問43　○　日英同盟では参戦義務が発生するのは"東亜及印度"で戦争が起こった場合であり、当時の日本に参戦義務はなかった。しかし日本は、日英同盟の"情誼"を口実にイギリスの反対を押し切り参戦し、膠州湾占領（1914）・二十一ヵ条要求（15）を経て、パリ講和会議で山東省ドイツ権益の継承を要求した。この要求が米英仏首脳に認められると、これに反発して中国で五・四運動が発生する。

問44　×　「チャーチル→ロイド＝ジョージ」と直す。自由党のロイド＝ジョージは、第一次世界大戦が始まると挙国一致内閣（1916～22）を組織して戦争指導を続け、パリ講和会議では Big 3 の一人として、ウィルソンが提唱する理想主義的な"新外交"と対独復讐をめざすクレマンソーとの調停役となる。チャーチルが首相（任 1940～45・51～55）として活躍するのは、第二次世界大戦中～戦後のこと。

以下の記述を読み、正しいものには〇、誤っているものには×をつけよ。

問45
check✓
□□□
ヒトラーは全権委任法により独裁体制を固めると、再軍備宣言を行い、まもなくラインラント非武装地帯に進駐した。さらにハンガリーを併合し、チェコスロヴァキアを支配下においた。

問46
check✓
□□□
ドイツ軍がポーランドに侵攻して第二次世界大戦が始まると、当時ノモンハン事件を抱えていたソ連は日本と停戦協定を締結し、その直後に東方からポーランドに攻め込んだ。

問47
check✓
□□□
中国国民党を結成した孫文は、"連ソ・容共・扶助工農"を掲げて第一次国共合作を行った。その後、五・三〇事件による民族運動の高揚の中で、国民革命軍による「北伐」が始まった。

問48
check✓
□□□
日中戦争が始まると、中国共産党は江西省瑞金に中華ソヴィエト共和国臨時政府を樹立したが、中国国民党軍の執拗な攻撃を受け、新たな根拠地を求め陝西省へ向けて「長征」を余儀なくされた。

問45　×　「ハンガリー→オーストリア」と直す。ドイツの再軍備宣言に対し、英仏伊3国はストレーザでオーストリアの独立維持を約した(1935.4)。しかしフランスが仏ソ相互援助条約を締結する(35.5)一方、イギリスは英独海軍協定を締結し（35.6）、イタリアはエチオピア侵略を本格化する（35.10）など、3国の足並みは乱れる。これを見たドイツはラインラント非武装地帯に進駐した（36.3）。さらにイタリアが、エチオピア侵略とスペイン内乱（36.7～39.3）を契機にドイツに接近し（ベルリン＝ローマ枢軸）、ドイツのオーストリア支配を容認する姿勢を明確にすると（37.9）、ドイツはオーストリアを併合した（38.3）。

問46　○　ノモンハン事件（1939.5～9）は、満蒙国境における日本（関東軍）・満州国軍とモンゴル・ソ連軍との間の戦闘で、日満両軍はソ連軍の優勢な火力と機甲部隊の前に敗退を重ねた。独軍のポーランド侵攻（9.1）後、本事件の休戦協定（9.15）を経て、ソ連軍はポーランドに侵攻した（9.17）。なお当時の独ソ両国間には、独ソ不可侵条約（8.23）に基づくポーランド分割その他の密約があった。

問47　○　中国国民党第一回全国代表大会（1924）で、"連ソ・容共・扶助工農"が新政策として承認され、中国共産党員が党籍を持ったまま中国国民党に入党することを認める形式で、第一次国共合作が始まった。その後、孫文が"革命未だならず…"との言葉を遺して逝去（25.3）した後、五・三〇事件（25.5）を契機に中華民国国民政府が広州に樹立され（25.7）、北伐が開始された（26.7）。

問48　×　「日中戦争→満州事変」と直す。第一次国共合作が崩壊（1927.8）すると、中国共産党は武装蜂起を繰り返し、満州事変の発生（31.9）後に「瑞金政府」を樹立した（31.11）。この政府は、蒋介石を中心とする南京国民政府（27.4～37.11）の攻撃を受けて崩壊し（34.10）、共産党軍は長征を行う（34.10～36.10）。この間に開かれた遵義会議（35.1）は、毛沢東が党指導権を掌握する第一歩となる。

問　題

以下の記述を読み、正しいものには○、誤っているものには×をつけよ。

問49
check
□□□
米英仏ソ４国首脳のジュネーヴ四巨頭会談を経て、フルシチョフがソ連首脳として史上初めて訪米しケネディ大統領と会見するなど、1950年代中期から末にかけて米ソ間の「雪解け」が進んだ。

問50
check
□□□
冷戦体制の下で、非同盟主義をとる諸国が第三世界を中心に増加した。その代表的な指導者として、ティトー・ナセル・ネルー・スカルノ・アラファト・エンクルマなどを挙げることができる。

問51
check
□□□
シアヌーク政権が崩壊した後のカンボジアでは、親米ロン＝ノル政権を経て、極端な共産化を進めたポル＝ポト政権、ヴェトナムの支援を受けたヘン＝サムリン政権が成立し、内戦が続いた。

問52
check
□□□
エンクルマが指導するガーナの独立が、ブラック＝アフリカ諸国の独立の始まりであった。17ヵ国が独立した1960年は、「アフリカの年」といわれている。

問49　×　「ケネディ→アイゼンハウアー」と直す。「雪解け」という言葉は、エレンブルク（ソ）の小説（1954）の題名に由来する。フルシチョフは、平和共存政策を提唱するとともに「スターリン批判」を行い(56)、訪米した(59)。この間にソ連は、大陸間弾道ミサイル(ICBM)の開発や、人工衛星（スプートニク１号）の打ち上げに米国に先駆けて成功し(57)、西側諸国にショックを与えた（ミサイル＝ギャップ）。

問50　×　アラファトは、1964年に結成されたパレスチナ解放機構(PLO)の指導者で、非同盟主義諸国の首脳ではない。アラファト以外は、順番にユーゴ・エジプト・インド・インドネシア・ガーナの指導者。非同盟主義は、1961年にユーゴスラヴィアのベオグラードで第１回非同盟諸国首脳会議を開催して、新しい潮流として注目を集めた。

問51　○　カンボジアでは、フランスからの独立（1953）がジュネーヴ協定(54)で国際的に承認され、シアヌークが元首となる。彼が反米親中路線を強めると、クーデタで親米ロン＝ノル政権が誕生した(70)。パリ和平協定(73)で米軍が撤退すると、解放勢力（共産側）が勝利を収め、中国が支援するポル＝ポト政権が成立し(76)、大量虐殺や農村への強制移住を行う。これに対してヴェトナム軍の支援を受けてヘン＝サムリンが政権を奪取したが(79)、反ヴェトナム各派との間に内戦が続く。その後、国連の調停下で和平協定が結ばれ(91)、国連カンボジア暫定行政機構（UNTAC）が設置されて(92)、総選挙を経てシアヌークを国王とするカンボジア王国が成立した(93)。

問52　○　エンクルマは非同盟主義の指導者の一人として知られる。彼の指導下でガーナがイギリスから独立したのは1957年。翌年には、サモリ＝トゥーレの曾孫セク＝トゥーレが指導するギニアが、フランスから独立している。その後アフリカ諸国はアジスアベバに本部を置くアフリカ統一機構（OAU）を1963年に結成し、相互の協力を約した。この組織は2002年にアフリカ連合（AU）に発展した。

問53 核開発に関する歴史に関して正しいものはどれか。

check✓
□□□

1　米国がムルロア環礁で行った水爆実験の結果、第5福竜丸が被爆し、これを契機に原水爆禁止世界大会が広島で開かれた。

2　キューバ危機を契機に部分的核実験停止条約が結ばれ、大気圏内・宇宙空間・地下での核実験が禁止された。

3　キエフ近郊のスリーマイル島で発生した原発事故で、放射能汚染は東欧・北欧にも拡大した。

4　核拡散防止条約に続いて包括的核実験禁止条約が署名されたが、核保有国の反対が強く両条約とも未発効のままである。

5　核兵器禁止条約は、国連加盟国の6割を超える国の賛成によって採択され、2021年1月に発効した。

問53　正解　5

1　×　ムルロア環礁ではなくてビキニ環礁である。ビキニ環礁があるマーシャル諸島は、独領（1885・86）から日本の委任統治領（1920）、米国の信託統治領（47）を経てマーシャル諸島共和国として独立した（86）。第5福竜丸事件を機に、ラッセル＝アインシュタイン宣言・原水爆禁止世界大会（55）・ゲッティンゲン宣言・パグウォッシュ会議（57）と、反核運動が盛り上がる。なおムルロア環礁は、仏領ポリネシアにあるフランスの核実験場。南太平洋非核地帯（ラロトンガ）条約（85）にシラク仏大統領が署名し（96）、南太平洋の核実験は終わった。

2　×　水中での核実験も禁止されているが、地下核実験は認められている。部分的核実験停止条約（PTBT）は、1963年に米英ソ3国が署名し（同年発効）、各国に参加を呼びかけた。しかし当時すでに核保有国であったフランス、翌64年に核実験に成功した中国は、条約への参加を拒否した。なお、地下核実験は包括的核実験禁止条約で禁止されたが、未だ本条約は発効に至っていない（選択肢4解説）。

3　×　スリーマイル島ではなく、チェルノブイリである。1986年にチェルノブイリで起きた原子炉爆発事故は数万名に及ぶ死傷者を出し、西欧諸国などの脱原発の動きを加速させた。なおスリーマイル島の原発事故は、1979年に米国で起きた放射能漏れ事故。

4　×　核拡散防止条約（NPT）は1968年に国連総会で採択され、70年に発効した。本条約で、核兵器保有国以外へ平和利用を目的として核技術を移転した場合、国際原子力機関（IAEA）と査察受け入れに関する協定を結ぶことが義務づけられた。署名当時の核保有国5国の中で、中国とフランスは本条約への署名を拒否していたが、両国とも1992年に本条約に参加している。一方、包括的核実験禁止条約（CTBT）は、爆発を伴う全ての核実験を禁止するもの。1996年に国連総会で採択されたが未発効のままである。

5　○　核兵器禁止条約は、2017年7月に122か国の賛成により採択され、2020年10月に批准国が50か国に達して、2021年1月に発効した。

以下の記述を読み、正しいものには〇、誤っているものには×をつけよ。

問1
check✓
□□□
現存する最古の世界地図は、紀元前 700 年頃に作成されたバビロニアの地図であるとされている。

問2
check✓
□□□
太平洋上を走る日付変更線を境に日付は変更されるが、この線を越えて東に行くときは次の日の日付とし、西に行くときは 1 日前の日付とする。

問3
check✓
□□□
人類が通常居住していない地域をエクメーネといい、全陸地面積の約 1 割を占め、砂漠、寒冷地、高山地帯などに分布している。

問4
check✓
□□□
断層運動とは、地層や岩石に生じた割れ目にそって両側あるいは片側の土地が垂直、もしくは水平方向に移動する現象のことをいう。

問5
check✓
□□□
地表の岩石が、大気や水、生物などの作用によって分解され、土壌となっていく過程を侵食作用という。

問6
check✓
□□□
プレートとは地球の表面をおおう板状の岩体のことをいい、大陸プレートには大陸がのり、海洋プレートは海底を形成している。

問7
check✓
□□□
ユーラシア・アフリカ・北アメリカ・南アメリカ・オーストラリア・北極の六大陸は、周辺の属島を含めて地表の約 29％を占めている。

問1　**○**　最古の世界地図は粘土板でできており、メソポタミアの古代都市バビロン、ティグリス川、ユーフラテス川、ペルシア湾などが描かれている。

問2　**×**　設問文は東西が逆。日付変更線は東経・西経180度線上を南北に走る線であり、この線を境に西に移動する場合は次の日（翌日）の日付、東に移動する場合は1日前（前日）の日付に変更する。

問3　**×**　設問文はアネクメーネの説明である。エクメーネとは居住地域ともいい、人類が常住し生活を営んでいる地域のことで、陸地面積全体の約9割を占めている。

問4　**○**　地盤に生じた割れ目にそって、両側または一方の土地が垂直あるいは水平方向に移動する現象を、断層運動という。第四紀に活動した断層を特に活断層と呼び、形がはっきりしているものが地震の際に生ずる地震断層である。

問5　**×**　設問文は風化作用についての説明。侵食作用とは、河川や海、風などの力によって地表の岩石が削られ、岩屑が運搬されて地表を削り下げていくことをいう。

問6　**○**　プレートには大陸プレートと海洋プレートの2種類が存在し、地殻とマントル層の上部によって形成されている。

問7　**×**　北極は大陸ではなく、設問文中の北極を南極に変えると正しい記述となる。六大陸を合わせると地表の約29％、1.5億km^{2}の面積を占める。

以下の記述を読み、正しいものには〇、誤っているものには×をつけよ。

問8
check✓
□□□
デカン高原は、アラビア半島の大部分を占める平均海抜 600 m の高原地帯で、西高東低の卓上地をなしている。

問9
check✓
□□□
中国の農業地帯を南北に分ける境界となっているチンリン（秦嶺）山脈は、カンスー（甘粛）・シェンシー（陝西）両省の南部に位置している。

問10
check✓
□□□
アルプス山脈はヨーロッパを南北に走り、ヨーロッパを東西に二分する大山脈である。

問11
check✓
□□□
北アメリカ大陸西部を北西から南東にかけて走るロッキー山脈には、エルバート山という標高 4000m を超える峰がそびえている。

問12
check✓
□□□
パリ盆地やロンドン盆地を代表例とするメサは、一方が急崖を、他方が緩斜面をなす非対称の丘陵のことをいう。

問13
check✓
□□□
扇状地とは、河川が山地から平地に流れ出る際に形成された半円錐形の堆積地形のことである。

問14
check✓
□□□
フィヨルドとは、山地の谷の部分に海水が侵入することで形成された、鋸歯状の屈曲を持つ海岸線のことで、日本の三陸海岸や若狭湾、フランスのブルターニュ地方の海岸などが代表例である。

問8　×　デカン高原が存在するのはアラビア半島ではなく、**インド**半島である。他の説明は**正しい**。**アラビア半島は平均海抜 1000 m** の高原で、西高東低の卓上地であり、大部分を砂漠が占めている。

問9　○　**チンリン（秦嶺）**山脈は、**ホワイ川（淮河）** とともに中国の水田農業地域（南方）と畑作農業地域（北方）を分ける自然的境界をなしている。

問 10　×　アルプス山脈はモンブラン（標高 4808 m）を最高峰とする大山脈であるが、ヨーロッパを**東西**に走り、ヨーロッパを**南北**に分ける境界になっている。

問 11　○　**エルバート**山の標高は 4398 m で、ロッキー山脈の最高峰である。山脈は大部分が**森林**におおわれており、**国立公園**が数多く設置されている。

問 12　×　設問文は**ケスタ**の説明である。**メサ**は頂上が平坦で周囲が急傾斜した卓状地形のことをいい、香川県の**屋島**などが例として挙げられる。

問 13　○　河川が**山地**から**平坦地**に流れ出す場所では傾斜が急に減少するために砂礫が堆積され、谷口を頂点とする半円錐状の堆積地形が形成される。これを**扇状地**という。

問 14　×　設問文は**リアス海岸**の説明。**フィヨルド**とはU字谷に海水が侵入してできた海岸線で、両岸が切り立っており、ノルウェー北西岸、チリ南部の海岸などで多くみられる。

以下の記述を読み、正しいものには〇、誤っているものには×をつけよ。

問15
check✓
☐☐☐
アメダスとは、地域気象観測システムのことであり、降水量、風向と風速、気温、日照時間、積雪量を自動観測している。

問16
check✓
☐☐☐
エルニーニョとは、ペルーとエクアドルの沿岸から南東太平洋の赤道海域にかけて、数年に一度海面水温が平年よりも1〜2℃低くなる現象をいう。

問17
check✓
☐☐☐
水平方向にほぼ一様な性質を持つ大気の塊を気団という。

問18
check✓
☐☐☐
モンスーンとは、冬季は大洋上の高圧帯から大陸内部の低圧帯へ、夏季は大陸内部の高圧帯から大洋上の低圧帯へ吹く季節風である。

問19
check✓
☐☐☐
カリブ海で発生する強い熱帯性低気圧のことを、サイクロンという。

問20
check✓
☐☐☐
シロッコとは、地中海北岸に吹く高温多湿な南あるいは南東の風のことである。呼び名は国によって異なっており、スペインではレベーチェといわれている。

問15 ○　アメダス（AMeDAS）は Automated Meteorological Data Acquisition System（地域気象観測システム）の頭文字からとった略称で、1974年11月から運用を開始された。雨、風、雪などの気象状況を時間的、地域的に細かく監視するために降水量、風向・風速、気温、日照時間、積雪量の観測を自動的に行い、気象災害の防止と軽減に役立っている。

問16 ×　エルニーニョとは、設問文にある海域で海面水温が平年よりも1～2℃高くなる現象で、不漁や集中豪雨などを生じさせるほか、世界的な異常気象の原因の一つになっている。同じ海域で海面水温が平年よりも1～2℃低くなる現象をラニーニャと呼んでいる。

問17 ○　気団とは温度や湿度などの性質が一様な大気の塊のことで、広い地域に大気が停滞するときに発生する。気団は発現地によって分類されており、北極気団、南極気団、寒帯気団、熱帯気団、赤道気団などに大別され、それぞれ大陸性気団と海洋性気団がある。

問18 ×　夏季と冬季の記述が逆である。日本の場合、冬季には北西季節風が、夏季には南東季節風が強く吹く。

問19 ×　設問文はハリケーンの説明である。ハリケーンは北大西洋で発生する熱帯低気圧のうち、最大風速が33m/s以上のものをいい、西インド諸島やメキシコ湾を襲う。サイクロンとは、ベンガル湾やアラビア海などの北インド洋で発生する熱帯低気圧のうち、最大風速が17m/s以上のものをいう。

問20 ○　シロッコはアフリカのサハラ砂漠の高温で乾燥した熱帯気団から吹き込む風が地中海を渡る際に湿潤な風に変化して生じる。ほかにエジプトではハムシンとも呼ばれている。

以下の記述を読み、正しいものには〇、誤っているものには×をつけよ。

問21
check✓
□□□
タクラマカン砂漠は中国北西部、タリム盆地の大部分を占める砂漠であり、オアシス都市を結んだ東西交易路が通じていた。

問22
check✓
□□□
夏の夕立や熱帯地方におけるスコールなど、日中の強い日射によって生じる上昇気流によりもたらされる降雨を、対流性降雨という。

問23
check✓
□□□
ツンドラ気候の地域は、砂漠気候の周辺に分布し、降雨が少ないために樹木が生育せず短草草原となり、遊牧や企業的牧畜が行われている。

問24
check✓
□□□
セルバとは、アマゾン川流域の熱帯雨林のことで、多層の樹林を形成し、太陽が直接地表に達せず「緑の魔境」と称されている。

問25
check✓
□□□
ユーラシア大陸や北アメリカ大陸の北部に分布する亜寒帯の針葉樹林を、タイガという。

問26
check✓
□□□
ポドゾルは、熱帯や亜熱帯の地方に典型的に発達している赤色または暗赤褐色の土壌で、鉄・アルミニウムの水酸化物を多量に含んでいる。

問27
check✓
□□□
テラロッサとはウクライナから西シベリアにかけて典型的に発達する肥沃な腐植土のことである。

問21　○　タクラマカン砂漠はテンシャン（天山）山脈とクンルン（崑崙）山脈に挟まれたタリム盆地の大部分を占めている。この砂漠を通る東西交易路が**シルクロード**である。

問22　○　例えば熱帯雨林気候地域に発生する**スコール**は、日中の強い日射によって暖められた地表付近の大気が**上昇気流**となって上空で冷やされ、毎日午後に定期的に**降雨**となってもたらされる。

問23　×　設問文は**ステップ気候**の地域についての説明。**ツンドラ**気候の地域は北極海沿岸地方に分布し、年間**8**ヵ月以上は積雪におおわれ、短い夏のみ表面が溶けて地衣類や蘚苔類が生育する。

問24　○　アマゾン川流域の熱帯雨林である**セルバ**は、**常緑広葉樹**が巨大喬木（平均樹高35m以上）・大喬木（20m前後）・小喬木（10m前後）の多層の樹林を形成している。そこでは樹木の**樹冠**が太陽光線をさえぎるため、日中も薄暗く「緑の魔境」を作り出している。

問25　○　**タイガ**は、ユーラシア大陸や北アメリカ大陸北部の**針葉樹**を主体とする森林の総称であり、トウヒ・モミ・ツガ・カラマツなどを主体とする純林となっているため、現在では大規模な**林業地域**になっている。

問26　×　設問文は**ラトソル**の説明。**ポドゾル**は、植物の腐食が十分に進まない冷帯の**タイガ**地帯で主にみられる土壌で、灰白色の上層と暗い鉄さび色の下層からなる。強酸性で**肥沃度**が低い。

問27　×　設問文は**チェルノーゼム**の説明である。**チェルノーゼム**は黒色土で肥沃であるため、小麦の大産地である。

以下の記述を読み、正しいものには〇、誤っているものには×をつけよ。

問 28
check✓
□□□
海岸から緩傾斜しながら水深約 200m まで続く棚状の海底のことを、大陸棚と呼ぶ。

問 29
check✓
□□□
エーゲ海は、イタリア半島とバルカン半島に囲まれた地中海の支海であり、バルカン半島側はダルマチア式海岸と呼ばれ、複雑な海岸線を示す。

問 30
check✓
□□□
日本列島の太平洋岸を南下する寒流である日本海流は、不透明な緑色をした海水でプランクトンに富み、好漁場を形成している。

問 31
check✓
□□□
カルシウムイオンやマグネシウムイオンの含有量が少なく、飲用や洗濯に適し、工業用水としても多く用いられる水を軟水という。

問 32
check✓
□□□
カスピ海は、ロシア・カザフスタン・アゼルバイジャン・イラクに囲まれた世界最大の湖である。

問 33
check✓
□□□
京都府の山城盆地に存在する琵琶湖は、面積 670km^2 を誇る日本最大の湖である。

問 34
check✓
□□□
不透水層とは、礫や砂などの粗粒の物質から構成される地層で、すき間に地下水を含んでいるもののことである。

問 28　○　大陸棚は好漁場をなすと同時に、海底資源開発の面でも注目を集めている。海の利用について取り決めた国連海洋法条約では、大陸棚を沿岸の国が海底やその地下にある石油や鉱物、魚などの生物資源を利用できる区域としている。

問 29　×　設問文はアドリア海の説明。エーゲ海は地中海東部、ギリシアとトルコの間に広がる海であり、沈降した海底山脈の頂部が海上に現われ多島海を形成している。

問 30　×　設問文は千島海流（親潮）の説明。日本海流は、日本列島の太平洋岸を北上する暖流であり、黒潮とも称され、カツオやマグロが回遊することで有名である。

問 31　○　軟水が飲用や洗濯に適しているのに対し、カルシウムイオンやマグネシウムイオンを多量に含み、飲用や洗濯に適しない水を硬水という。

問 32　×　設問文のイラクをイランに変えれば正しい記述になる。カスピ海の面積は 37 万 km^2 で、ボルガ＝ドン運河により外洋につながっている。チョウザメをはじめ多くの魚類が生息し、内水面漁業が盛んに行われている。

問 33　×　琵琶湖は滋賀県の近江盆地に存在する日本最大の湖であり、湖水が京阪諸都市の上水、湖辺の工業用水、灌漑用水、水力発電の用水として利用されるほか、豊富な魚類の自然養殖地となっている。

問 34　×　設問文は帯水層（透水層）の説明。不透水層は地下を構成する地層のうち、粘土や粘板岩、花崗岩や結晶片岩などの細粒で緻密な物質からなり、容易に水を浸透させない地層のことをいう。

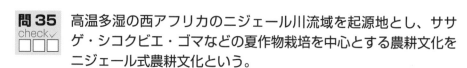

問　題

以下の記述を読み、正しいものには〇、誤っているものには×をつけよ。

問35
check☑
□□□
高温多湿の西アフリカのニジェール川流域を起源地とし、ササ
ゲ・シコクビエ・ゴマなどの夏作物栽培を中心とする農耕文化を
ニジェール式農耕文化という。

問36
check☑
□□□
ドライファーミングとは、乾燥した地域において、灌漑を用いず
に作物を栽培する耕作法のことである。

問37
check☑
□□□
新潟平野における水稲栽培やブラジルのコーヒー栽培のように、
同一耕地に同一の作物だけを広い範囲にわたり栽培することを単
一耕作という。

問38
check☑
□□□
モンゴルの遊牧民であるベドウィンは、ゴビ砂漠の北部を中心と
して羊などを飼育し、馬を主な使役用家畜としている。

問39
check☑
□□□
日本・朝鮮・中国北部などを主産地とする稲であるインディカ種
は、粒型が短く丸い粘り気の多い米であり、単位収穫量は多いが、
栽培に手間がかかり、病害虫に弱いことが特徴である。

問40
check☑
□□□
小麦・米と共に世界の主要穀物であるトウモロコシは、高温多雨
の気候に適するアメリカ大陸原産の穀物である。

問41
check☑
□□□
メキシコを原産地とするイモ類の一種であるジャガイモは、温暖
な気候を好み、食用以外に飼料・でんぷん・アルコール原料とし
て利用される。

問35　✕　ニジェール川流域を起源とすることは正しいが、種子によって繁殖する夏作物を中心とした農耕文化は、サバナ式農耕文化と呼ばれる。

問36　○　ドライファーミングとは乾燥農法のことで、まず耕地を深く耕し降雨をしみこませ、次いで浅く耕すことによって毛細管現象を絶ち、わずかな降雨を有効利用する耕作法である。

問37　○　同一耕地に１種類の農作物だけを広い範囲にわたって栽培することを単一耕作といい、単作やモノカルチャーとも称される。

問38　✕　設問文はモンゴル族についての説明。ベドウィンはアラビア半島を中心として羊やヤギを飼育し、ラクダを主な使役用家畜としている遊牧民である。

問39　✕　設問文はジャポニカ種についての説明。インディカ種は、インド・東南アジアから中国南部にかけて分布し、粒型が細長く粘り気が少ない米であり、ピラフやカレー、炒飯などに適することが特徴である。

問40　○　トウモロコシは高温多雨の気候に適した作物で、原産地は熱帯アメリカである。アンデス地方・アジア・アフリカでは主に食用に用いられ、北アメリカやヨーロッパでは青刈りにして主に飼料として用いられる。

問41　✕　設問文はサツマイモについての説明。ジャガイモはアンデス地方を原産地とするイモ類の一種で、冷涼な気候を好む作物である。アメリカやヨーロッパでは食糧であるほか、飼料やアルコール原料としても利用される点はサツマイモと同じである。

問 題

以下の記述を読み、正しいものには〇、誤っているものには×をつけよ。

問 42
check✓
□□□
リンゴはインドを原産地とする果実の一種であり、品種改良が進んだ結果、現在では100種が存在しており、地中海性気候を好み、カリフォルニアなどが主産地となっている。

問 43
check✓
□□□
オリーブはモクセイ科の樹木であり、成熟前の実は塩漬けにして食用に、成熟したものは採油用に利用されている。

問 44
check✓
□□□
アルパカは中国西部の高原に分布する牛の一種であり、毛・乳・肉・糞を利用するほか、荷物運搬にも使役されている。

問 45
check✓
□□□
世界の繊維生産量の原料の約5割を占める綿花は、生育期には高温多雨、収穫期には乾燥する気候が適し、排水のよい肥沃な砂質土壌を好む。

問 46
check✓
□□□
コショウは、インドを主産地とするイネ科の多年性作物で、生育期には高温多雨、収穫期には乾燥する気候を好み、ブラジルとインドが二大生産国である。また、キューバはこの作物の単一耕作を行っていることで有名である。

問 47
check✓
□□□
ドイツの経済学者チューネンは、都市からの距離に応ずる農業経営の違いを輸送費の関係から論理的に説明し、農業立地論の基礎をつくった。

問 48
check✓
□□□
フランスの地理学者ホイットルセーは、家畜や作物の組合わせ、生産物の商品化の程度などの指標から、世界を13の農牧業地域に区分した。

問42　×　設問文は**オレンジ**についての説明。**リンゴ**は西アジアを原産地とし、冷涼な気候を好む果実の一種であり、生食用のほか缶詰・料理・菓子の材料となっている。ロシア・アメリカが主要生産国で、日本では**青森県**と**長野県**が二大生産県である。

問43　○　**オリーブ**は北アフリカ原産のモクセイ科の樹木作物で、成熟前の実は塩漬けにして食用に、成熟後は採油用に利用されている。地中海性気候に適し、イタリア・スペイン・ギリシアが主要生産国となっている。

問44　×　設問文は**ヤク**についての説明。**アルパカ**は南アメリカの山地で飼育されるラクダ科の家畜である。毛が絹糸状で光沢があり、**織物**に適しているため、主に採毛用に利用されている。

問45　○　綿花は生育期に高温多雨、収穫期に乾燥する気候を好むアオイ科の植物である。種子を包む白色の繊維が主として**綿繊維**の原料として利用され、**綿**は繊維の中で最も多い消費量を誇っている。

問46　×　設問文は**サトウキビ**についての説明。**コショウ**は、香辛料作物の一つで、インド南部を原産地とするつる性の常緑多年性植物である。インド・東南アジア・ブラジルが主産地である。

問47　○　**チューネン**は農業立地論を提唱したドイツの農業経済学者であり、農業経営の違いを**輸送費**の関係から論理的に説明し、『孤立国』を著した。

問48　×　**ホイットルセー**はアメリカの地理学者である。設問文の後半は**正しく**、家畜や作物の組合わせ、生産物の商品化の程度、集約度などの指標から世界の農牧業を 13 に区分した。

以下の記述を読み、正しいものには〇、誤っているものには×をつけよ。

問49
check✓
☐☐☐
　米と麦の両方を生産する農業形態のことを、混合農業といい、主にヨーロッパにおいてみられる。

問50
check✓
☐☐☐
　温室栽培とは、平均気温の高い地域で行われる農法であり、野菜や果実が生産されている。

問51
check✓
☐☐☐
　スーチュワン盆地は中国・長江の上流に位置する構造盆地で、棚田が開かれ、裏作に冬小麦・ナタネなどが多く生産されている。

問52
check✓
☐☐☐
　中国南東部に位置するフーチェン（福建省）では、温暖な気候を利用して、水田二期作が行われるほか、商品作物として茶・サトウキビなどが栽培されている。

問53
check✓
☐☐☐
　タイ中部を流れるメコン川は、ラオス・ミャンマー国境付近の山地に源を発し、南流してタイランド湾にそそぐタイ最大の河川で、下流域は世界有数の米作地帯である。

問54
check✓
☐☐☐
　チャオプラヤ川の河口付近に位置するタイの首都プノンペンは、タイ最大の商工業都市であり、米・ゴムなどの輸出港でもある。

問55
check✓
☐☐☐
　ガンジス川は、カラコルム山脈に源を発し、パキスタン東部を流れ、アラビア海にそそぐ河川であり、中流域では小麦や綿花の栽培が盛んで、下流域では米や綿花が栽培されている。

問49　×　**混合農業**とは、主穀とともに飼料作物を栽培し、牛や豚などの肉用家畜や家禽の飼育・販売を主目的とする農業のことをいう。ヨーロッパで多くみられる**有畜農業**の一つである。

問50　×　**温室栽培**とは、ビニールやガラスの温室で、人工的に気温を調節しながら園芸作物などをつくる栽培法で、平均気温の高い地域で行われるわけではない。**促成栽培**や**抑制栽培**において用いられ、主に冬季に果実・野菜・花卉など収益性の高い作物が生産されている。

問51　○　**スーチュワン盆地**は地質時代には内陸湖であったと考えられている。夏は**高温**、冬は**温暖**な気候で知られている。

問52　○　中国南東部、台湾海峡を隔てて台湾と向き合う**フーチェン（福建省）**では、盆地や沿岸平野で**水田二期作**が行われ、商品作物として**茶・サトウキビ・ミカン**などが栽培され、**食品工業**が発達している。

問53　×　設問文は**チャオプラヤ川**の説明。**メコン川**は、その源がチベット高原東部で、ヴェトナム南部において南シナ海にそそぐ国際河川である。下流域が**水田**地帯になっている点は**チャオプラヤ川**と同じである。

問54　×　設問文は、**タイ**の首都**バンコク**についての記述である。**プノンペン**は隣国カンボジアの首都である。

問55　×　設問文は**インダス川**についての説明。**ガンジス川**は、ヒマラヤ山脈に源を発し、インド北部を東流してベンガル湾にそそぐインド最大の河川である。**インダス川**流域はインド最大の農業地帯であり、上流では小麦、中流ではサトウキビ、下流では米やジュートが栽培されている。

以下の記述を読み、正しいものには○、誤っているものには×をつけよ。

問 56
check✓
☐☐☐
チグリス川は、トルコのアナトリア高原を源とし、イラク北部を南東へ流れて、ユーフラテス川と合流した後にペルシア湾にそそいでいる。

問 57
check✓
☐☐☐
イランの乾燥地域にみられる灌漑用水路をカナートといい、同様のものがアフガニスタンではカレーズ、北アフリカではフォガラと称されている。

問 58
check✓
☐☐☐
サヘル地方は、サハラ砂漠南縁に位置しており、もともと降水量が少ないため、降水量のわずかな変動で農作物・家畜に大きな被害が出ることで知られている。

問 59
check✓
☐☐☐
耕地を3つに分け、それぞれの土地で異なる作物を栽培する農法を三圃式農業といい、中世のヨーロッパにおいて広く行われていた。

問 60
check✓
☐☐☐
ハンガリー盆地にはセーヌ川の本・支流が流れ、ケスタ地形が発達し、ブドウの栽培が盛んで、シャンパンの生産で有名である。

問 61
check✓
☐☐☐
地中海最大の島であるフランスのコルシカ島は、地中海性気候を利用して、ブドウやオリーブの栽培が盛んに行われている。

問56　○　チグリス川はトルコからイラクにかけて流れる河川であり、流域一体は灌漑によるオアシス農業が発達している。ナツメヤシ・小麦・綿花・タバコなどの生産で知られている。

問57　×　カナートとは、イランの乾燥地域にみられる地下用水路のことで、山麓の扇状地の地下水を水源とし、蒸発を防ぐために地下に水路を設けたものである。同様の施設がアフガニスタンではカレーズ、北アフリカではフォガラと称されている。

問58　○　サヘルはアラビア語で「縁」「岸」を意味している。降水量が少ないために、わずかな降水量の変動でも大きな被害につながる。この地域に属するのは、チャド・ニジェール・マリなどの国々である。

問59　×　中世ヨーロッパで広く行われた三圃式農業は、3つに分けた耕地を、冬作地・夏作地・休閑地として毎年これを交代で耕すという農法である。

問60　×　設問文はシャンパンの語源になったフランスのシャンパーニュ地方についての説明。ハンガリー盆地は、カルパート山脈・トランシルバニア山脈・ディナルアルプス山脈に囲まれたハンガリーを中心とする広大な盆地であり、ドナウ川中流にあたり、小麦・トウモロコシの栽培や牛・豚の飼育を中心とした混合農業が発達している。

問61　×　設問文はイタリアのシチリア島についての記述である。シチリア島は全体的に山がちな地形であり、果樹栽培を中心とした地中海式農業が発達している。

以下の記述を読み、正しいものには〇、誤っているものには×をつけよ。

問 62
check✓
□□□
グレートプレーンズとは、ロッキー山脈の西側に広がる台地上の大平原のことで、小麦栽培のほか、牛の大放牧地帯となっている地域である。

問 63
check✓
□□□
無霜期間が 200 日以上、年降水量 500mm 以上、秋の降水量 250mm 以下の線で囲まれたアメリカ南部の農業地帯を、コットンベルトという。

問 64
check✓
□□□
フロリダ半島は、アメリカの南西部にあって、太平洋とメキシコ湾を分ける半島であり、フロリダ州の大部分を占めている。

問 65
check✓
□□□
アシェンダは、ブラジルにみられる大土地所有制に基づく大農園であり、大地主はコロノと呼ばれる労働者と契約を結び、賃労働をさせるほか、耕地を貸与して請負耕作をさせている。

問 66
check✓
□□□
アルゼンチンのブエノスアイレスを中心に広がる半径約 600km の温帯草原を、パンパという。

問 67
check✓
□□□
オーストラリア中部の内陸盆地である大鑽井盆地では、乾燥地域であるために、牧畜がほとんど行われていない。

問 68
check✓
□□□
愛知県の濃尾平野は、木曽川・長良川・揖斐川の 3 本の河川の下流に形成された沖積平野である。

問 62　×　グレートプレーンズは、ロッキー山脈の西側ではなく東側に広がる大平原である。土壌は肥沃で、灌漑によってトウモロコシ・小麦などが栽培されるほか、牛の大放牧地帯となっている。

問 63　○　北アメリカの農業地帯の一つであるコットンベルトは、ミシシッピ州・ジョージア州を中心に広がる綿花地帯で、北限は無霜期間が 200 日以上、南限は秋の降水量 250mm 以下、西限は年降水量 500mm 以上の地域である。黒人奴隷を労働力とするプランテーションとして成立し、第二次世界大戦以後は、機械化が進展した。

問 64　×　フロリダ半島は、アメリカの南東部に存在し、大西洋とメキシコ湾を分ける半島である。フロリダ州の大部分を占めているという点は正しい。

問 65　×　説明文はファゼンダについての説明。アシェンダは、メキシコ・ペルー・チリなどラテンアメリカ諸国にみられる大土地所有制に基づく大農園であり、地主は行政・司法の権限を持ち、農民を分益小作として利用している。

問 66　○　ブエノスアイレスを中心に広がるパンパは、肥沃な土壌に恵まれ、小麦・トウモロコシの栽培や牛・羊の飼育が盛んであり、アルゼンチン・ウルグアイの農牧業の中心地になっている。

問 67　×　大鑽井盆地(さんせい)には被圧地下水が多量に存在するため、掘り抜き井戸により自噴水を得ることができる。その地下水を利用して乾燥地域であるにもかかわらず牧畜が可能となり牧羊が行われている。

問 68　○　木曽川・長良川・揖斐川下流の沖積平野である濃尾平野では、米作が盛んに行われるほか、野菜などの園芸農業も発達している。3 つの河川の集まる南西部には、輪中集落が発達している。

以下の記述を読み、正しいものには〇、誤っているものには×をつけよ。

問 69
check✓
□□□
山形県西部、日本海岸の潟湖である八郎潟は、元は湖であったが、干拓によって一部を除いて陸地化された。

問 70
check✓
□□□
ルール炭田はドイツの炭田としてはザール炭田と並んで規模の大きなもので、ドイツ中西部、フランスとの国境に位置している。

問 71
check✓
□□□
エジプトとアラビア半島に囲まれたペルシア湾は、沿岸一帯の石油の埋蔵量が多く、海底油田の開発が盛んに行われている。

問 72
check✓
□□□
カラジャスは、アメリカのスペリオル湖の北西部沿岸に位置するアメリカ最大の鉄鉱山である。

問 73
check✓
□□□
ウランは、自然界に存在する最も重い元素で、核分裂により巨大な熱を放出する性質を持っている。日本では人形峠で産出される。

問 74
check✓
□□□
石油化学コンビナートとは、石油精製工場を中心に石油化学工業に関係する生産施設が有機的に統合し配置された企業集団のことをいう。

問 75
check✓
□□□
カナダのモントリオールはヒューロン湖とエリー湖の中間に位置する世界最大の自動車工業都市であり、多数の自動車関連工場が集中している。

問69　×　八郎潟は秋田県西部に存在する。設問文の後半は正しく、1957年に国営事業として八郎潟の干拓が開始され、1966年に干拓が完了した。

問70　○　ルール炭田はライン川の支流ルール川沿岸に位置する西ヨーロッパ最大の炭田である。良質の瀝青炭を豊富に産出することで知られており、ルール工業地域形成の基礎となった。

問71　×　ペルシア湾はエジプトではなく、イランとアラビア半島に囲まれた湾である。設問文の後半は正しく、海底油田の開発が進み、世界有数の大石油供給地となっている。

問72　×　設問文はメサビについての説明。カラジャスは、ブラジル中北部、パラ州のブラジル高原北縁に位置する鉄鉱山である。

問73　○　ウランの原鉱は、日本以外ではカナダ・ニジェール・ロシア・カザフスタン・オーストラリアなどで多く産出される。

問74　○　石油化学コンビナートでは石油精製工場を中心として原料や中間製品がタンクやパイプにより結びつき、生産施設が有機的に配置されている。生産工程の一貫性と多角性を、効率よく実現することを目的としており、日本では川崎・四日市・水島など太平洋ベルト地帯に分布している。

問75　×　設問文はアメリカのデトロイトについての説明。モントリオールは、カナダの南東部、セントローレンス海路の起点に位置するカナダ有数の商工業都市である。

以下の記述を読み、正しいものには○、誤っているものには×をつけよ。

問 76
check✓
□□□
宇宙開発基地があることで有名なヒューストンは、アメリカ南部の都市で、メキシコ湾岸油田を背景にして工業が発達している。

問 77
check✓
□□□
北イタリア工業地域はイタリア北部のミラノ・トリノ・ジェノヴァを結ぶ三角地域を中心として、化学・繊維・金属・機械などの工業が発達している。

問 78
check✓
□□□
イギリス中南部、ミッドランド工業地域に属するマンチェスターは、産業革命発祥の地であり、綿工業などで有名なほか、近年では機械・化学などの工業も発達している。

問 79
check✓
□□□
ミュンヘンはドイツ北部、エルベ川の河口付近に位置する港湾・工業都市で、ドイツ最大の貿易港になっている。

問 80
check✓
□□□
ベルギーの中部に位置する首都ブリュッセルは、商工業都市としての側面と、EU や NATO の本部が置かれる国際都市としての側面を持っている。

問 81
check✓
□□□
ロシアの南東部、日本海に面する工業都市であるイルクーツクは、水・陸・航空交通の要地で、製鉄・アルミニウム・機械・木材加工などの工業が発達しており、シベリア東部の政治・経済・文化の中心地になっている。

問 82
check✓
□□□
ホンコンは、中国南東部、チュー川河口にある。旧イギリス直轄植民地時代に、中継貿易地として発展し、中国返還後の現在では繊維・機械工業が発達し、加工貿易が盛んに行われている。

問76　○　ヒューストンはメキシコ湾岸に近い港湾・工業都市である。メキシコ湾岸油田を背景に石油精製・石油化学工業が発達しているほか、綿花・石油・米などの積み出し港でもある。

問77　○　北イタリア工業地域はイタリア最大の工業地域であり、アルプス山麓の水力発電、ポー川流域の天然ガスを背景にして発達してきた。

問78　×　マンチェスターはイギリス中西部のランカシャー工業地域に属している。その他の記述はマンチェスターの説明として正しい。イギリス中南部のミッドランド工業地域に属するのは、鉄鋼で有名なバーミンガム、自動車で有名なコベントリ、陶磁器で有名なストークなどの都市である。

問79　×　設問文はハンブルクについての説明。ミュンヘンはドイツ南東部、バイエルン地方の中心都市であり、伝統的なビール醸造のほか、金属・精密機械・光学機械・印刷などの工業が発達している。

問80　○　ブリュッセルは、機械・繊維・金属などの工業が発達し、鉄道交通の要地であることから商業が盛んであるほか、EU（ヨーロッパ連合）、NATO（北大西洋条約機構）の本部が置かれていることも有名である。

問81　×　イルクーツクはロシア南東部、バイカル湖南西部に位置する都市であり、日本海に面してはいない。その他の記述は正しい。

問82　○　ホンコンは、カオルン、カオルン半島、ホンコン島などからなり、イギリスの直轄植民地として発展した。1997年に中国に返還されたが、現在でも工業・貿易が活発に行われている。

問　題

以下の記述を読み、正しいものには〇、誤っているものには×をつけよ。

問83
check✓
□□□

カンボジア王国は、プノンペンを首都とし、人口の９割をカンボジア（クメール）人が占め、国民の大半がイスラム教を信仰している。

問84
check✓
□□□

リヤドを首都とするサウジアラビア王国は、アラビア半島の大部分を占め、国土の大半が砂漠におおわれており、国民の大部分がイスラム教を信仰し、石油が主産業となっている。

問85
check✓
□□□

モロッコ共和国は、アフリカの北西部に位置し、ジブラルタル海峡を隔ててイタリア半島と接しており、アラブ人やベルベル人からなる国民の大半は、イスラム教を信仰している。

問86
check✓
□□□

スウェーデン王国は、ヨーロッパ北部のスカンディナビア半島の東端に位置しロシアと隣接している。公用語はスウェーデン語とフィンランド語で、宗教はほとんどがプロテスタントである。

問87
check✓
□□□

バルト海に面するエストニア・ラトビア・リトアニアはバルト三国と称され、1991年にソ連から同時に分離独立した。

問88
check✓
□□□

ウルグアイ東方共和国は、アルゼンチンとチリに挟まれ太平洋をのぞむ国であり、モンテビデオを首都とし、公用語はスペイン語、宗教は大部分がカトリックである。

問89
check✓
□□□

大西洋北部に位置するグリーンランドは、ノルウェー領の世界最大の島であり、面積の約80%が氷床におおわれ、海岸はフィヨルドである。

問83 ✕　設問文の前半は正しいが、国民の大半は仏教を信仰している。なお、カンボジアはインドシナ半島に位置し、世界文化遺産に登録されているアンコールの巨大遺跡群があることで知られている。

問84 ○　サウジアラビアは、1902年に建国され、1932年に現在の国名となった。国民はアラブ人からなり、イスラム教が信仰されている。イスラム教の聖地メッカはサウジアラビアにある。

問85 ✕　モロッコ共和国がジブラルタル海峡を隔てて接するのは、イタリア半島ではなくイベリア半島である。その他の記述は正しい。

問86 ✕　設問文はフィンランド共和国についての記述である。スウェーデン王国は、スカンディナビア半島東部にあって西をノルウェー、東をフィンランドと接しており、スウェーデン語を公用語としている。宗教がほとんどプロテスタントであるという点はフィンランドと同じである。

問87 ○　バルト三国は、1940年にソ連に併合され、1991年に分離独立を果たした。農牧業では麦類や酪農が中心であり、1960年代後半からはエレクトロニクス・精密機械を中心に工業化が進展した。

問88 ✕　ウルグアイ東方共和国は、南アメリカ南東部に位置し、アルゼンチンとブラジルに挟まれた大西洋をのぞむ国である。設問文の後半は正しい。

問89 ✕　グリーンランドはデンマーク領である。面積217.6万㎢の世界最大の島であるが、その約80％が氷床と万年雪におおわれている。住民は、イヌイットと、ヨーロッパ人とイヌイットの混血であり、漁業が主産業である。

問 90

世界地図の図法に関する A・B・C の記述の空欄ア・イ・ウに入る語句の組み合わせとして、正しいものは 1 ～ 5 のうちどれか。

A 中心点からみた方位が正しくなるよう工夫されており、図の中心と他の地点を結んだ直線は最短距離を表わすが、図の外縁部では面積や形のひずみが大きく、中心以外の 2 点を結んでも正しい方位や距離は求められない。このような図法を正距方位図法といい、主に ［ ア ］ として用いられてきた。

B 距離・面積・方位が正しく表わされず、高緯度ほど面積が大きくなっていくが、緯線と経線が常に直角に交わり、方位を示す角度が地球上の角度と同じになっている。この図法の例として ［ イ ］ 図法があり、主に航海図として用いられてきた。

C 緯線は平行な直線で経線は楕円曲線になっており、緯線と経線の間隔を調整することにより、大陸の面積・形が比較的正確に表わされるよう工夫されている。この図法の例としてモルワイデ図法があり、主に ［ ウ ］ として用いられてきた。

	ア	イ	ウ
1	航空図	エケルト	分布図
2	分布図	エケルト	航空図
3	航空図	グード	分布図
4	分布図	メルカトル	航空図
5	航空図	メルカトル	分布図

問90　正解　5

ア　正距方位図法の緯線は極を中心とした等間隔の同心円、経線は放射状の直線である。この図法では図の中心と任意の点を結んだ直線が2点間の正方位、正距離の比となる特徴があるため、図の中心を出発地点や到着地点とする航空図に多く用いられてきた。

イ　メルカトル図法は、16世紀にオランダのメルカトルによって開発された図法で、高緯度になるにつれて面積が拡大するため面積の比較には適さないが、緯線と経線が直角に交わって方位を示す角度が地球上の角度と同じという点で航海図に適している。

　なお、エケルト図法、グート図法は面積を地図上に正確に表現することに適した正積図法の一種である。

ウ　モルワイデ図法の緯線は高緯度ほど狭くなる平行な直線、経線は楕円曲線となっており、中央経線と赤道の長さの比は1：2となっている正積図法の一つであり、地球上の面積を地図上に正確に表現する図法である正積図法は、主に分布図に用いられている。

　以上より、**5**が正解となる。

地理

問91 国家や民族について述べた以下の1〜5のうち、正しいものはどれか。

check✓
□□□

1　シンガポールは、マレー人が人口の過半数を占めているが、人口の約23%を占めるにすぎない華人が経済の実権を握っていることから、両民族の間に対立が続いている。

2　ベルギーでは、フランス語方言であるフラマン語と、英語方言であるワロン語を話す人々の間で、どちらをベルギーの国語とするかという争いが続いている。

3　インドネシアは、1万数千の島々からなる群島国家であるため多様な民族が居住しているが、国民の多数はイスラム教である。

4　ペルーでは、人口の約1割を日系人が占めているが、その大部分は農村部に居住し、農業に従事している。

5　オーストラリアでは、人口の2割に満たない白人が法律により有色人種の基本的人権を奪ってきたが、現在ではこれらの差別法は全て撤廃されている。

問91　正解　3

1　✕　シンガポールでは華人（中国系住民）が約74%で、政治・経済の実権を握っており、マレー人は約14%。設問文はマレーシアにおける状況である。

2　✕　ベルギーの公用語であるフラマン語はオランダ系の言語、ワロン語はフランス系の言語である。

3　○　インドネシアでは、人口の約9割がイスラム教を信仰しており、世界最大のイスラム教国になっている。

4　✕　ペルーでは、インディオが約26%、白人とインディオの混血であるメスチソが約60%、白人が約6%で、日系人は1%にも満たない。

5　✕　オーストラリアは白人が人口の大部分を占め、白豪主義政策をとっていた時代もある。1975年に人種差別禁止法が制定された。

第3章

絶対決める！

物理

化学

生物

地学

物　理

以下の記述を読み、正しいものには〇、誤っているものには×をつけよ。

問1
check✓
□□□

高い橋の上から小球を自由落下させた。5秒後の小球の速さは49m/sとなる。なお、重力加速度は9.8m/s^{2}とする。

問2
check✓
□□□

高い橋の上から小球を自由落下させた。落ち始めてから2秒間に小球が落下した距離は44mである。なお、重力加速度は9.8m/s^{2}とする。

問3
check✓
□□□

地上から初速度14m/sの速さでボールを真上に投げた。ボールは15mの高さまで上がる。なお、重力加速度は9.8m/s^{2}とする。

問4
check✓
□□□

地上から初速度17m/sの速さでボールを真上に投げた。このときボールは約3.4秒で戻ってくる。なお、重力加速度は9.8m/s^{2}とする。

問5
check✓
□□□

等加速度直線運動をしている速さ7.4m/sで平面を進む物体が4.0秒後に同じ向きに23.4m/sになった。このときの加速度は4m/s^{2}となる。なお、重力加速度は9.8m/s^{2}とする。

問6
check✓
□□□

小球を高さ1.0mのところから床に落とすと、小球は床にあたってはね返り、0.64mの高さまであがった。このときのはね返り係数は0.6となる。なお、重力加速度は9.8m/s^{2}とする。

問1　○　公式 $v = v_0 + at$ より求める。初速 v_0 は 0 であり、鉛直下向きを正とすると、$v = gt = 9.8 \times 5 = 49$（m/s）となる。

問2　×　公式 $x = v_0 t + \dfrac{1}{2} at^2$ に代入して求める。
初速 $v_0 = 0$、$a = 9.8$、$t = 2$ より x は鉛直方向なので y とすると、
$y = \dfrac{1}{2} \times 9.8 \times 2^2 = \dfrac{1}{2} \times 9.8 \times 4 = 19.6$（m）となる。

問3　×　$v^2 - v_0^2 = 2ax$ より求める。鉛直上向きを正とし、最高点までの高さを h とすると最高点では速度 $v = 0$ となるので、$0 - 14^2 = -2 \times 9.8 \times h$　　$h = \dfrac{14^2}{2 \times 9.8} = 10$（m）となる。

問4　○　最高点に達する時間を t 秒とすると $v = v_0 + at$ より、最高点では $v = 0$ なので、$0 = 17 - 9.8 \times t$　　$t = \dfrac{17}{9.8} \fallingdotseq 1.7$（秒）　　地上に戻ってくる時間は最高点に達する時間の 2 倍となるので $1.7 \times 2 = 3.4$ 秒となる。

問5　○　加速度 a とは速度の時間変化を表わす量、つまり 1 秒間に速度がどれだけ変化していくかを表わす量であり、$a = \dfrac{(v - v_0)}{t}$ で求められる。$a = \dfrac{(23.4 - 7.4)}{4.0} = 4$（m/s^2）である。

問6　×　床と小球とのはね返り係数 e は、
$e = \dfrac{\text{衝突直後の小球の速さ}}{\text{衝突直前の小球の速さ}}$ である。小球の速さは初速 0 であり、
$v^2 - v_0^2 = 2ax$ に　$a = g$、$x = h$ を代入すると、$v^2 = 2gh$ であるから、
$v = \sqrt{2gh}$ となる。
よって、衝突直前の速さ $v_1 = \sqrt{2g \times 1.0}$、
衝突直後の速さ $v_2 = \sqrt{2g \times 0.64}$ であり、
$e = \dfrac{v_2}{v_1} = \dfrac{\sqrt{2g \times 0.64}}{\sqrt{2g \times 1.0}} = \sqrt{\dfrac{0.64}{1.0}} = 0.8$ となる。

以下の記述を読み、正しいものには〇、誤っているものには×をつけよ。

問7
check✓
□□□
2.0m/s の速さで前を行く質量 1.0kg の台車に、質量 3.0kg の台車が 4.0m/s の速さで追突し、連結した。連結後の速さは 5m/s になる。

問8
check✓
□□□
速さ 10m/s で水平に飛んできた質量 0.2kg のボールをバットで打つと反対方向に 30m/s で飛んでいった。このときボールが受けた力積の大きさは 10（N・s）である。

問9
check✓
□□□
質量 0.4kg の物体を 10m/s の速さで投げた直後のボールの運動エネルギーは 20（J）である。

問10
check✓
□□□
地面から高さ 10m のところに質量 2.0kg の物体を置くとき物体の位置エネルギーは 45（J）である。重力加速度を 9.8m/s^2 とする。

問11
check✓
□□□
初速度 40m/s で打ち上げたボールの速さが 30m/s の速さになったとき、打ち上げ地点からの高さは 35m である。重力加速度を 10m/s^2 とする。

問7　×　運動している物体の**質量**（m）×**速度**（v）、つまり運動量は物体系に外から力が加わらないとき**保存**される。したがって $m_1v_1 + m_2v_2 = m_1v'_1 + m_2v'_2$ が成り立つ。連結後 $v'_1 = v'_2$ となって進むのでこれを v とすると、$1.0 \times 2.0 + 3.0 \times 4.0 = (1.0 + 3.0) \times v$

$v = \dfrac{(1.0 \times 2.0 + 3.0 \times 4.0)}{(1.0 + 3.0)} = 3.5$ （m/s）となる。

問8　×　運動量の変化はその物体が受けた力積（$F\Delta t$）に等しいので $F\Delta t = mv - mv_0$ が成り立つ。ボールを打ち返した方向を正とすると $v = 30$ 、$v_0 = -10$ である。$F\Delta t = 0.2 \times 30 - 0.2 \times (-10) = 8$ （N・s）

問9　○　速さ v （m/s）で運動している質量 m （kg）の物体が持つ運動エネルギー K （J）は、$K = \dfrac{1}{2}mv^2$ である。
よって、$K = \dfrac{1}{2} \times 0.4 \times 10^2 = 20$ （J）である。

問10　×　基準の高さより、h （m）上にある質量 m （kg）の物体が持つエネルギー U （J）は、重力加速度 g を用いて $U = mgh$ と表わされる。したがって、$U = 2.0 \times 9.8 \times 10 = 196$ （J）となる。

問11　○　重力以外の力が物体に仕事をしないとき**力学的エネルギー保存の法則**が成り立つ。**力学的エネルギー**（E）= **運動エネルギー**（K）+ **位置エネルギー**（U）である。**力学的エネルギー保存則**によりはじめの**力学的エネルギー** = あとの**力学的エネルギー**が成り立つ。よって30m/sの速さになったときの高さを h、物体の質量を m とすると、$0 + \dfrac{1}{2}m \times 40^2 = mgh + \dfrac{1}{2}m \times 30^2$ と表わせる。両辺 m で割れるので、質量はこの場合関係ない。これを解くと $h = 35$ （m）となる。

問　題

以下の記述を読み、正しいものには〇、誤っているものには×をつけよ。

問 12
check✓ □□□
断熱材で作られた容器に 30℃の水 80g が入っている。このなかに 90℃の湯 40g を混ぜると温度は 50℃となる。水の比熱を 4.2J/g・K とする。

問 13
check✓ □□□
水平面上で物体に 20N の力を水平面と 30°の角のなす上方へ加え続けた。このとき水平方向に 5.0 m動くと力がした仕事は 85（J）である。$\sqrt{3}=1.7$ とする。

問 14
check✓ □□□
電気容量が 2.0 μF のコンデンサーと 5.0 μF のコンデンサーを並列につなぐと、合成容量は 7.0 μF になる。

問 15
check✓ □□□
10.0 μF のコンデンサーに 100V の電池を接続した。極板がたくわえる電気量は 2.0×10^{-3}C である。

問 16
check✓ □□□
静止している音源が 510Hz の音を出している。観測者が速さ 10m/s でこの音源に近づく場合、観測者が聞く音の振動数は 510Hz となる。音速を 340m/s とする。

問12 ○　断熱材で作られた容器なので外部から熱を通さない。つまり、はじめとあとでは熱量が等しい。水が得た熱量＝湯が失った熱量が成り立ち、熱量＝質量×比熱×温度変化である。混ぜたあとの温度をt℃とすると、$80 \times 4.2 \times (t - 30) = 40 \times 4.2 \times (90 - t)$
$2t - 60 = 90 - t$　　$3t = 150$　　　$t = 50$（℃）

問13 ○　力F（N）を物体に加えて力の向きに距離s（m）移動するとき、この力がする仕事W（J）は$W = F \times s$となる。問題では水平面と$30°$の角の方向へ力を加えたので、力を分解すると水平方向には$F \times \cos 30°$の力がはたらく。
よって仕事$W = F \times \cos 30° \times 5.0 = 20 \times \dfrac{\sqrt{3}}{2} \times 5 = 85$（J）である。

問14 ○　電気容量C_1、C_2……（F）のコンデンサーを並列につなぐと合成容量C（F）は、$C = C_1 + C_2 + \cdots\cdots$となる。よって$C = 2.0 + 5.0 = 7.0$（$\mu$F）となる。コンデンサーを直列に接続すると、$\dfrac{1}{C} = \dfrac{1}{C_1} + \dfrac{1}{C_2} + \cdots\cdots$となる。

問15 ×　電気容量C（F）のコンデンサーの両極板にV（V）の電圧を加えたとき、たくわえられる電気量Q（C）は$Q = CV$である。よって$Q = 10.0$（μF）$\times 100$（V）$= 10.0 \times 10^{-6}$（F）$\times 100$（V）$= 1.0 \times 10^{-3}$（C）となる。ここで1（μF）$= 10^{-6}$（F）である。

問16 ×　観測者が速さu（m/s）で音源に近づく場合、観測者から見た音波の相対速度は音速をVとすると$(V + u)$（m/s）になる。観測者が聞く振動数は$f = \dfrac{(V + u)}{\lambda_0} = \left\{ \dfrac{(V + u)}{V} \right\} \times f_0$となる。したがって$f = \left\{ \dfrac{(340 + 10)}{340} \right\} \times 510 \fallingdotseq 525$（Hz）である。このように波源と観測者が動くことにより、波源と異なる振動数の波が観測される現象のことを**ドップラー効果**という。

以下の記述を読み、正しいものには○、誤っているものには×をつけよ。

問 17 check✓ ☐☐☐　30 Ωの抵抗に60Vの電圧を加えた。消費電力は900Wである。

問 18 check✓ ☐☐☐　晴れている日、遠方の音は昼より夜の方がよく聞こえる。これは干渉のためである。

問 19 check✓ ☐☐☐　1.0 気圧、10 リットルの気体を温度一定で5 リットルに圧縮すると圧力は 2.0 気圧になる。

問 20 check✓ ☐☐☐　原子力発電では ^{235}U に中性子 n を衝突させて核融合を起こし、反応によって放出されるエネルギーを利用している。

問 21 check✓ ☐☐☐　波が媒質Ⅰから媒質Ⅱに進むとき、入射角 θ_I ＞屈折角 θ_{II} ならば波長は短くなり、振動数は変化しない。

問 22 check✓ ☐☐☐　水力発電はダムにためた水を落下させ、水が持つ位置エネルギーを利用して発電を行っている。

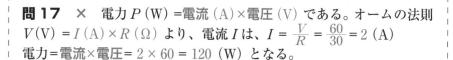

問 17　×　　電力 P（W）＝電流（A）×電圧（V）である。オームの法則 V（V）＝I（A）×R（Ω）より、電流 I は、$I = \dfrac{V}{R} = \dfrac{60}{30} = 2$（A）電力＝電流×電圧＝$2 \times 60 = 120$（W）となる。

問 18　×　　干渉ではなく屈折が正解。音は気温が高いほど速く伝わる。夜間には地表付近ほど気温が下がるため、音速が地表付近で遅くなり、音が地表に向かって屈折するために、音の到達点がより長くなることによって起こる現象である。ほかにも光の屈折ではコインを水に浸すと浮かびあがって見える。干渉とは、それぞれの波の山（谷）の部分が重なれば強めあい、山と谷が重なれば弱めあうという性質である。

問 19　○　　ボイル・シャルルの法則 $\dfrac{pV}{T} = $ 一定 より、圧縮後の気圧を p とすると、　$1.0 \times \dfrac{10}{T} = p \times \dfrac{5}{T}$　　$p = \dfrac{10}{5} = 2$（気圧）

問 20　×　　核融合ではなく核分裂が正しい。外から中性子が当たると原子核が 2 つに分裂する特徴がある。これを核分裂といい、このとき熱エネルギーを出す。

問 21　○　　媒質 I に対する媒質 II の屈折率を n、媒質 I、II での波長を λ_{I}、λ_{II}、光の速さを v_{I}、v_{II} とする。$n = \dfrac{\sin \theta_{\mathrm{I}}}{\sin \theta_{\mathrm{II}}} = \dfrac{v_{\mathrm{I}}}{v_{\mathrm{II}}} = \dfrac{\lambda_{\mathrm{I}}}{\lambda_{\mathrm{II}}}$ が成り立つ。入射角 θ_{I} ＞屈折角 θ_{II} ならば $\sin \theta_{\mathrm{I}} > \sin \theta_{\mathrm{II}}$ となり、$n > 1$ となる。したがって $\lambda_{\mathrm{I}} > \lambda_{\mathrm{II}}$、つまり波長は短くなる。なお、振動数は媒質が変化しても変わらない。

問 22　○　　水力発電は位置エネルギーを落下により運動エネルギーに変え、水車を回し、そのエネルギーによって発電機を回し電気エネルギーへと変換される。

以下の記述を読み、正しいものには〇、誤っているものには×をつけよ。

問 23
check✓
☐☐☐
電気抵抗は断面積に比例し、導線の長さに反比例する。

問 24
check✓
☐☐☐
電気抵抗 5 Ωの電熱線に、5V の直流電圧をかけた。このとき 10 秒間に発生する熱量は 250（J）となる。

問 25
check✓
☐☐☐
ラジウムの半減期を 1600 年とすると、24g のラジウムが崩壊 して 3g になるのは 6400 年後である。

問23　×　太さの一様な導線の電気抵抗 R（Ω）は、導線の長さ l（m）に比例し、断面積 S（m²）に反比例する。比例定数 ρ で表わすと $R = \dfrac{\rho l}{S}$ となる。

問24　×　導体に電流が流れると熱が発生する。この熱をジュール熱といい、ジュール熱 Q（J）は $Q = VIt$ と表わされる。V（V）は電圧、I（A）は電流、t は時間（秒）である。さらにオームの法則より電流 I は $I = \dfrac{V}{R}$ となるので $Q = VIt = \dfrac{V^2 t}{R}$ となる。したがって値を代入すると $Q = 5^2 \times \dfrac{10}{5} = 50$（J）となる。

問25　×　放射性原子核の半数が崩壊するのに要する時間を半減期という。1600年ごとに半分になる。1600年後に $\dfrac{24}{2} = 12$（g）、3200年後では $\dfrac{12}{2} = 6$（g）、4800年後では $\dfrac{6}{2} = 3$（g）となる。よって3gになるのは4800年後である。

問26 光の性質に関する次の1～5の記述のうち、誤っているものは
check✓ どれか。

1 光は真空中を伝わるが、音は真空中を伝わらない。

2 シャボン玉が虹色に見えるのは干渉による。

3 光は偏光板の目を垂直にした二枚の偏光板を通りぬけることがで
きない。

4 光は横波であり、音は縦波である。

5 光はドップラー効果が起こらない。

問27 音の性質に関する次の1～5の記述のうち、誤っているものは
check✓ どれか。

1 音の高低は振動数が大きくなると高くなり、振動数が小さいと低
い音になる。

2 音源が近づいてくると音は低く聞こえ、音源が遠ざかると音は高
くなる。

3 振動数がわずかに異なる2つの音波が干渉すると、うなりが生
じる。

4 振動数の同じ2つのおんさの一方を鳴らすと、もう一方のおん
さも鳴る。これを共鳴という。

5 音の高さ、強さ、音色を音の3要素という。

問26　正解　5

1　○　音は縦波であるから、固体・液体・気体のどのような媒質でも伝わるが、真空中には媒質がないため伝わらない。光は電磁波の一種で媒質を必要としない。

2　○　薄い膜の表面で反射された光と裏面で反射された光の干渉の結果、虹色の色がつく。

3　○　光が横波であるのは偏光という現象からわかった。1つの振動面のみを通す二枚の偏光板の目をそろえると光は通りぬけるが、偏光板の向きを垂直にすると光は二番目の偏光板を通りぬけない。この結果、横波だとわかった。音は縦波である。

4　○　選択肢3の解説参照。

5　×　光もドップラー効果が起こる。星雲の移動速度や宇宙の膨張速度などの測定に利用されている。

問27　正解　2

1　○　音の高さは振動数で決まり、音の強さは振幅によって決まる。また、ピアノとバイオリンでは同じ高さの音でもまったく別に聞こえる。これを音色といい、波形の違いによって生じる。

2　×　ドップラー効果に関してである。音源が観測者に近づくと振動数が大きくなるので音が高く聞こえる。逆に遠ざかると音は低く聞こえる。

3　○　振動数がわずかに異なると音が大きくなったり小さくなったりする現象が起こる。

4　○　おんさは自分が振動するときに出すのと等しい振動数の音を受けると自分も振動する。

5　○　選択肢1の解説参照。

以下の記述を読み、正しいものには〇、誤っているものには×をつけよ。

問1
check✓
□□□
原子に含まれる電子の数は、原子の原子番号に等しい。

問2
check✓
□□□
炭素の同素体には無色透明で電気を通さないダイヤモンドと黒色で柔らかく電気を通しやすい黒鉛がある。

問3
check✓
□□□
原子の中心には原子核があり、正電荷を持つ陽子と負電荷を持つ電子でできている。

問4
check✓
□□□
陽子と中性子の数の和を原子番号という。

問5
check✓
□□□
炭素原子には $^{12}_{6}C$、$^{13}_{6}C$、$^{14}_{6}C$ のような同位体が存在する。これらの原子では陽子数がどれも6であり、中性子数がそれぞれ12、13、14である。

問6
check✓
□□□
酸素、ダイヤモンド、塩酸は純物質であり、空気、海水、水酸化ナトリウムは混合物である。

問1　×　原子番号と等しいのは陽子の数である。

問2　○　ダイヤモンドはすべての炭素原子が共有結合によって連なった結晶をしている。強く結合しているために非常に硬く、融点も高い。また、4価の価電子がすべて共有結合に使われているので、電気を通さない。黒鉛では結晶構造の違いにより、柔らかく電気を通しやすい。

問3　×　原子の中心には原子核があり、正電荷を持つ陽子と電荷を持たない中性子でできている。

問4　×　陽子と中性子の数の和を質量数という。陽子と中性子の質量はほぼ同じで、電子は陽子の質量の約 $\dfrac{1}{1840}$ である。

問5　×　原子番号が同じで質量数が異なる原子を互いに同位体という。同位体では中性子数が異なる。同じ元素だから化学的性質がほぼ等しい。$^{12}_{6}C$ では 12 が質量数で 6 が陽子数である。質量数＝陽子数＋中性子数なので $12 - 6 = 6$ が中性子数となる。残りの 2 つは陽子数 6 で中性子数は $^{13}_{6}C$ は 7、$^{14}_{6}C$ は 8 となる。

問6　×　純物質は 1 種類の物質から成り、混合物は 2 種類以上の物質が混合したものである。酸素は分子 O_2、ダイヤモンドは炭素原子のみ、水酸化ナトリウムは NaOH で表わされる純物質である。空気は窒素、酸素が混ざった気体であり、海水は塩化ナトリウムや塩化マグネシウムが溶けたもの、塩酸は気体の塩化水素が水に溶けた混合物である。

以下の記述を読み、正しいものには○、誤っているものには×をつけよ。

問7
check✓
□□□
酸素、オゾン、黒鉛は単体であり、アンモニア、二酸化炭素、塩化ナトリウムは化合物である。

問8
check✓
□□□
Na^+、F^-はネオン Ne と同じ電子配置を持つ。

問9
check✓
□□□
同素体はダイヤモンド・黒鉛のほかに酸素・オゾン、一酸化炭素・二酸化炭素などがある。

問10
check✓
□□□
塩化ナトリウムは陽イオンと陰イオンが分子間力によって引き合うイオン結合である。

問11
check✓
□□□
ドライアイスやナフタレンは分子が分子間力によって規則正しく配列してできた結晶である。

問12
check✓
□□□
密閉容器に液体と気体が共存するとき、蒸発も凝縮も起こっていない。

問7　〇　純物質は単体と化合物に分類される。単体は1種類の元素から成り、化合物は2種類以上の元素が化合したものである。酸素はO_2、オゾンはO_3、黒鉛はCでそれぞれ1種類の元素であるので単体。アンモニアはNH_3、二酸化炭素はCO_2、塩化ナトリウムはNaClで2種類以上の化合したものとなっている。

問8　〇　陽イオンと陰イオンの電子配置は希ガスと同じとなる。陽イオンNa^+は電子を1個放出して原子番号が1つ前のネオンと電子配置が等しくなっている。陰イオンF^-は電子を1個受け取り、原子番号が1つ後ろのネオンと等しい。

問9　×　同素体は同じ元素からできているが、互いに性質や構造が異なる単体である。ダイヤモンド・黒鉛、酸素・オゾンは正しいが、一酸化炭素・二酸化炭素は単体ではなく、化合物であるので、誤り。

問10　×　分子間力ではなく、静電気力（クーロン力）である。イオン結合によって規則正しく配列した結晶をイオン結晶という。融点・沸点が高く、電気を導かないが、水溶液にすると、電気をよく導く。イオン結晶は塩化ナトリウムのほかに塩化セシウムなどがある。

問11　〇　分子間力（ファンデルワールス力）とは分子と分子にはたらく弱い結合力であり、分子間力によって規則正しく配列した結晶を分子結晶という。柔らかくて、融点・沸点が低く、電気伝導度が悪い。ドライアイスやナフタレンは分子間力が弱いので、昇華しやすい。

問12　×　見かけ上、何も反応は起こっていないように見えるが、蒸発と凝縮が同じスピードで起こっていて、凝縮する分子の数と蒸発する分子の数が等しくなっている。このような状態を飽和状態といい、このように見かけ上変化が認められない状態を一般に平衡状態という。

化 学

以下の記述を読み、正しいものには〇、誤っているものには×をつけよ。

問 13
check✓
☐☐☐
平地に比べ高い山の上のほうが液体は低い温度で沸騰する。

問 14
check✓
☐☐☐
水素原子には ^1H と ^2H、酸素原子には ^{16}O、^{17}O、^{18}O の同位体が存在する。このとき水分子は9種類存在する。

問 15
check✓
☐☐☐
天然の塩素原子には $^{35}_{17}Cl$ と $^{37}_{17}Cl$ の2種類が存在する。塩素の原子量は35.5である。原子の相対質量は質量数に等しいとすると、$^{37}_{17}Cl$ の存在率（%）は75%である。

問 16
check✓
☐☐☐
鉄などの金属原子は価電子を放出しやすくそれが自由電子となり、電気伝導や熱伝導がよい。

問 17
check✓
☐☐☐
一般に物質の密度は固体のほうが液体より大きい。しかし、水は逆であり固体の方が密度が小さくなる。

問 18
check✓
☐☐☐
0℃において4Paで50cm^{3}の気体の体積を100cm^{3}にすると圧力は8Paになる。

問 19
check✓
☐☐☐
0℃で1リットルの気体を圧力を変えずに2リットルに変えるには、273℃にする必要がある。

問 13　○　状態変化を起こすのは温度だけでなく、圧力もそうである。山へ行くと気圧が下がり、水が沸騰しやすくなる。

問 14　○　水は化学式 H_2O であり、^{16}O 1 個に対して水素原子は（^1H、^1H）、（^1H、^2H）、（^2H、^2H）の組み合わせがある。O 原子には、同位体が 3 種類あるので、$3 \times 3 = 9$（種類）である。

問 15　×　塩素の原子量 35.5 とは $^{35}_{17}Cl$ と $^{37}_{17}Cl$ の 2 種類の平均である。原子の相対質量は質量数、つまり原子量に等しい。したがって、$^{37}_{17}Cl$ の存在率を x% とすると $^{35}_{17}Cl$ は（$100 - x$）% であるので、$\frac{35 \times (100 - x) + 37 \times x}{100} = 35.5$ であり、$x = 25$（%）となる。

問 16　○　自由電子が陽イオンの間を動き回れるので、電気伝導や熱伝導がよい。融点が高く、展性・延性が優れている。

問 17　○　氷は水分子が水素結合によって正四面体形の構造を持ち、水になると水素結合の一部が切れてすきまの多い構造となり密度は大きくなる。その結果、氷を水に浮かべると浮く。

問 18　×　一定温度では、一定量の気体の体積 V は圧力 P に反比例する。このとき $P_1V_1 = P_2V_2 =$ 一定という式が成り立つ。これをボイルの法則という。求める圧力を P とすると、$4 \times 50 = P \times 100$ となり、$P = 4 \times \frac{50}{100} = 2$（Pa）となる。

問 19　○　一定圧力では、一定量の気体の体積 V は、絶対温度 T に比例する。このとき、$\frac{V_1}{T_1} = \frac{V_2}{T_2} =$ 一定が成り立つ。これをシャルルの法則という。求める温度を T（K）とすると、0℃ は絶対温度に変換すると 273K になる（T（K）$= t$（℃）$+ 273$）ので、$\frac{1}{273} = \frac{2}{T}$ $T = 2 \times 273 = 546$（K）である。したがって $546 - 273 = 273$℃ となる。

以下の記述を読み、正しいものには○、誤っているものには×をつけよ。

問 20
check✓
□□□

温度 27℃、圧力 1.0atm で 500ml の気体を、2.0atm にしたら 400ml になった。このときの温度は 150℃である。

問 21
check✓
□□□

温度 27℃、圧力 1atm のとき気体 1mol の占める体積は 22.4 リットルである。ただし、気体定数 R = 0.082atm・l/K・mol とする。

問 22
check✓
□□□

理想気体は気体の状態方程式 $PV = nRT$ に完全に従う。理想気体は分子自体に大きさがなく、分子間の相互作用もまったくはたらかないと考えた気体である。

問 23
check✓
□□□

実在気体では、高温・高圧になるほど理想気体からのずれは小さくなる。

問 24
check✓
□□□

水溶液の沸点は純水に比べて高く、凝固点は低くなる。

問 20　×　一定量の気体の体積 V は、圧力 P に反比例し、絶対温度 T に比例する。これを式にすると $\dfrac{P_1 V_1}{T_1} = \dfrac{P_2 V_2}{T_2} =$ 一定 となる。これを求める温度を T（K）とすると、$1.0 \times \dfrac{500}{300} = 2.0 \times \dfrac{400}{T}$　$T = 2.0 \times 400 \times \dfrac{300}{500} = 480$（K）　したがって $480 - 273 = 207$℃ となる。

問 21　×　気体の絶対温度 T（K）、圧力 P（atm）、体積 V（l）、物質量 n（mol）とすると、気体の状態方程式 $PV = nRT$ が成り立つ。n は分子量 M、質量 w（g）とすると $n = \dfrac{w}{M}$ で表わされる。この場合1molなので $n = 1$ であり、求める体積を V とする。気体の状態方程式にそれぞれ代入すると $1 \times V = 1 \times 0.082 \times 300$ となる。よって $V = 24.6$（l）である。

問 22　○　正しい。これに対して分子自身に体積があり、分子間の相互作用がはたらき、気体の状態方程式に従わない気体を実在気体という。

問 23　×　分子自身に体積があり、分子間の相互作用がはたらくために実在気体は理想気体からずれる。高温にすれば分子は激しく運動し分子間力の引張りの影響を小さくできる。気体の圧力は体積に反比例し、高圧＝体積小、低圧＝体積大となる。したがって分子自身の体積の影響を小さくするには気体の体積を大きくすればよい。つまり低圧にする必要がある。よって理想気体に近づけるためには高温・低圧にする。

問 24　○　不揮発性（蒸発しない）の溶質を溶かした溶液では、純溶媒に比べて沸点が高くなる。これを沸点上昇という。また、純溶媒にくらべて凝固（液体→固体の変化）する温度も下がる。これを凝固点降下という。沸点上昇度・凝固点降下度は溶液の質量モル濃度に比例する。また、沸点上昇度・凝固点降下度は非電解質（水に溶解しても電離しない物質）の種類によらない。

問　題

以下の記述を読み、正しいものには〇、誤っているものには×をつけよ。

問25 一定量の水に対する気体の溶解量は、温度が高いほど大きくなる。
check✓ ☐☐☐

問26 水への溶解度は窒素、酸素などの無極性分子は小さいが、アンモニア、塩化水素などの極性分子では大きい。
check✓ ☐☐☐

問27 温度が一定ならば気体の溶解度は圧力に比例する。
check✓ ☐☐☐

問28 周期表で Li と Mg は同じ族である。
check✓ ☐☐☐

問29 0.10mol/l 塩酸 40ml を中和するために 0.20mol/l 水酸化バリウム水溶液が 20ml 必要である。
check✓ ☐☐☐

問 25 ✕ 気体の溶解度は温度が下がるほど大きくなる。また、固体の溶解度は温度が高いほど大きくなる。

問 26 ◯ 水は極性分子で、Hが＋、Oが－の電荷を持つ。極性のある分子では＋の部分にHが寄り、－の部分にOが寄り水和する。したがって極性のある分子は極性分子である水に溶けやすいが、無極性分子には溶けにくい。無極性分子は無極性の溶媒に溶けやすい。

問 27 ◯ これはヘンリーの法則であり、圧力をかければ溶解度は大きくなる。混合気体の場合では溶解量は各気体の分圧に比例する。

問 28 ✕ リチウム Li は1族であり、水素 H を除いた1族をアルカリ金属という。Mg は2族であり、ベリリウム Be、マグネシウム Mg を除いた2族をアルカリ土類金属という。ほかにも17族をハロゲン、18族を希ガスという。

問 29 ✕ モル濃度 c（mol/l）の価数 n の酸の水溶液 v（ml）を中和するのに塩基のモル濃度 c'（mol/l）の価数 n' 水溶液 v'（ml）を必要とすると、次の関係式が成り立つ。$cvn = c'v'n'$ 酸や塩基の物質1個から H^+ や OH^- が何個出入りするかを酸・塩基の価数という。塩酸は HCl で1価の酸であり、水酸化バリウムは $Ba(OH)_2$ で2価の塩基なので、求める体積を v とすると、$0.10 \times 40 \times 1 = 0.20 \times v \times 2$ となり、$v = 10$（ml）が必要である。

以下の記述を読み、正しいものには〇、誤っているものには×をつけよ。

問 30
check✓
☐☐☐
下線部の原子の酸化数は $\underline{Na}OH$ は＋1、$Mn O_2$ は＋4、$H_2\underline{S}$ は－2となる。

問 31
check✓
☐☐☐
2つの金属の板を電解液に接しているとき、イオン化傾向の大きい金属のほうが陽イオンになる。

問 32
check✓
☐☐☐
トタンは Fe と Zn をはり合わせた金属であり、ブリキは Fe と Sn をはり合わせた金属である。このとき、鉄がさびないのはブリキのほうである。

問 33
check✓
☐☐☐
アンモニアは無色の刺激臭のある気体で、水上置換で集める。

問 34
check✓
☐☐☐
塩化ナトリウムを電気分解すると陽極には塩素、陰極にはナトリウムが発生する。

問 30 ○　酸化は①物質が酸素と結合、②物質が水素を失う、③原子が電子を失う、④酸化数が増加の 4 つである。還元はこの逆である。酸化数とは原子についてイオンの価数を考えたものである。単体では原子の酸化数 0、化合物は酸化数の総和 0、アルカリ金属+1、アルカリ土類金属 + 2、H + 1、O − 2 となる。Na はアルカリ金属なので + 1、$\underline{Mn}O_2$ は O が − 2 であり 2 つあるので − 4 となり、総和 0 にするのに Mn は + 4 となる。$H_2\underline{S}$ は H が + 1 で 2 つあるので、 + 2 となり、総和 0 にするために − 2 となる。

問 31 ○　イオン化傾向とは金属単体が水のなかで陽イオンになる性質で、つまり、イオン化傾向が大きいほど電子を失いやすい。イオン化傾向の大きさの順番は K > Ca > Na > Mg > Al > Zn > Fe > Ni > Sn > Pb > H_2 > Cu > Hg > Ag > Pt > Au となる。電池ではイオン化傾向の大きい金属が負極、イオン化傾向の小さい金属が正極となる。

問 32 ×　イオン化傾向の大きさは Zn > Fe であり、Zn が陽イオンとなり溶け出すのでトタンは鉄がさびない。しかし、ブリキはイオン化傾向が Fe > Sn なので Fe がイオン化して溶け出す。この結果さびる。

問 33 ×　アンモニアは空気より軽く水に非常に溶けやすいので上方置換で捕集する。塩化アンモニウムと水酸化カルシウムを反応させて生成する。塩化水素により白煙を生じる。

問 34 ×　陽極には陰イオンの Cl^- が引かれ、$2Cl \rightarrow Cl_2 + 2e^-$ より塩素が発生する。陰極では $2H^+ + 2e^- \rightarrow H_2$ より水素が発生する。陰極で反応するのは Na^+ ではなく H^+ であるのはイオン化傾向より Na は電子を放出しやすく、H^+ の方が電子と結合しやすいためである。H^+ は水の電離によって生じたものである。

以下の記述を読み、正しいものには〇、誤っているものには×をつけよ。

問35
check✓
□□□
一酸化炭素は無色・無臭の気体で水に溶けにくく、有毒である。

問36
check✓
□□□
スズ（Sn）は常温でただ一つ液体の金属である。

問37
check✓
□□□
二酸化炭素は無色で刺激臭があり水に溶けて弱酸性を示し、酸性雨の原因となる。

問38
check✓
□□□
ヨウ素は、水よりもベンゼンに溶けやすい。

問39
check✓
□□□
湿度が同じなら飽和水蒸気量も一定である。

問40
check✓
□□□
液体から気体になるとき熱を吸収する。また、気体から液体になるとき熱を放出する。

問41
check✓
□□□
液体は沸点に達しないと気体にはならない。

問 35　○　一酸化炭素は血液中の**ヘモグロビン**と強く結合し、酸欠状態を引き起こす。それに対し二酸化炭素は**無色・無臭**で水に溶けやすく、**還元剤**としてはたらく。水に溶けた水溶液（炭酸水）は**弱酸性**である。また、石灰水に二酸化炭素を通すと**炭酸カルシウム**ができて白くにごる。

問 36　×　**水銀**(Hg)が正解。水銀は硝酸、熱濃硫酸に溶ける。また、毒性を持つ化合物が多い。**スズ**はブリキとして利用する。**スズ**と銅(Cu) との合金を青銅という。

問 37　×　二酸化炭素ではなく**二酸化硫黄**が正解。水に溶けて亜硫酸や硫酸となる。**二酸化炭素**は地球温暖化の原因の一つの要因となっている。

問 38　○　**ヨウ素**は無極性分子であり、水のような**極性**溶媒よりも、ベンゼンなどの**無極性**溶媒に溶けやすい。

問 39　×　湿度 $= \left(\dfrac{\text{水蒸気量}}{\text{その温度の飽和水蒸気量}} \right) \times 100$ （％）である。温度が高くなるほど分母の**その温度の飽和水蒸気量**が増加するので、湿度が一定でも、飽和水蒸気量は**異なる**。逆に温度が下がると**その温度の飽和水蒸気量**も下がるので、湿度は**上がる**。

問 40　○　液体から気体になるとき**蒸発熱**が必要であり、気体から液体になるときは熱を**放出**する。

問 41　×　**常温**でも蒸発して気体になるので、**誤り**。蒸発とは分子間の引力に打ち勝つエネルギーの分子が表面から飛び出す現象である。加熱すると温度があがり**大きな**運動エネルギーを持つ分子が多くなるので蒸発は**盛ん**になる。沸騰は表面からだけでなく、内部からも蒸気を発生し、気泡を生じる現象である。

以下の記述を読み、正しいものには〇、誤っているものには×をつけよ。

問 42
check✓
□□□
温度 0℃、圧力 1atm のとき、すべての気体 1mol は 22.4ℓの体積を占める。この物質 1mol に含まれる粒子数をアボガドロ定数と呼ぶ。

問 43
check✓
□□□
マグネシウムを燃焼させると、反応の前後で質量が変わらない。これを質量保存の法則という。

問 44
check✓
□□□
酢酸水溶液に水酸化ナトリウム水溶液を滴下すると、初めはアルカリ性を示すが、やがて中性となり、中和点を過ぎると強い酸性になる。

問 45
check✓
□□□
有機化合物は融点や沸点が低く、可燃性のものが多い。

問42 〇　原子は非常に小さな集団のため、一定数個の原子の集団を用いると便利である。基準として質量数 12 の炭素原子 $^{12}_{6}C$ の 12 g 中に含まれる原子の数 6.02×10^{23} 個を用いている。この集団を 1mol とする。

問43 ✕　反応の前後で反応に関係した物質全体の質量は変わらない。これはラボアジェの質量保存則と呼ばれる。しかし、マグネシウムを燃焼させると、大気中の酸素と化合し、酸化マグネシウムができるので、質量は増加する（$2Mg + O_2 \rightarrow 2MgO$）。密閉容器のなかで燃焼させた場合には密閉容器の燃焼前と燃焼後の質量は変わらない。

問44 ✕　酢酸は弱酸であり、強塩基である水酸化ナトリウムを滴下すると初め酸性を示すが、中和点を過ぎると強いアルカリ性を示す。

問45 〇　ほかにも有機化合物は構成元素の種類は少ないが、化合物の種類は非常に多いということや、水には溶けにくいがエタノールなどの有機溶媒に溶けやすいという特徴がある。

化　学

問 46

次の 1 ～ 5 の各反応で下線の原子が酸化したものはどれか。

1 $\underline{Cl}_2 + 2KBr \rightarrow 2K\underline{Cl} + Br_2$

2 $2H_2S + \underline{S}O_2 \rightarrow 2H_2O + 3\underline{S}$

3 $\underline{I}_2 + SO_2 + 2H_2O \rightarrow 2H\underline{I} + H_2SO_4$

4 $\underline{Zn} + H_2SO_4 \rightarrow \underline{Zn}SO_4 + H_2$

5 $\underline{S}O_2 \rightarrow \underline{S} + O_2$

問 47
check✓

$N_2 + 3H_2 \Leftrightarrow 2NH_3 + 92kJ$ という平衡が成り立つとき、アンモニアを生成するために平衡を右に移動したい。そのためにすることとして次の 1 ～ 5 のうち正しいものはどれか。

1 温度を上げる。

2 アンモニアを加える。

3 圧力を上げる。

4 圧力を下げる。

5 触媒を加える。

問46　正解　4

　酸化したものは酸化数が増加する。

1　$\underline{Cl}_2$は単体なので酸化数 0 である。KCl は K がアルカリ金属なので+ 1 となり Cl は- 1。よって酸化数は減少。

2　O は酸化数- 2 であり、2 つなので- 4 となり S は+ 4 となる。右辺の S は単体なので 0。よって酸化数は減少。

3　$\underline{I}_2$は単体なので酸化数 0。右辺の HI は H が+ 1 なので I は- 1。よって減少。

4　左辺 Zn は単体なので酸化数 0。$SO_4{}^{2-}$なので Zn は+ 2。よって酸化数は増加するので酸化したといえる。

5　$\underline{S}O_2$は O が- 2 なので S は+ 4。右辺 S は単体なので酸化数 0。よって減少。

問47　正解　3

　可逆反応が平衡状態にあるとき、濃度・圧力・温度などの条件を変化させると、その変化を和らげる向きに平衡が移動する。これを**ルシャトリエの原理**という。

1　×　温度を上げると吸熱反応、温度を下げると発熱反応の向きに平衡が移動する。この反応は右向きが発熱反応なので、温度を上げると平衡は左に移動する。

2　×　反応に関係する物質を追加すると、その物質の濃度が減少する向きに平衡は移動するので、アンモニアを加えると濃度が減少する左向きに平衡は移動する。

3　○　圧力は粒子が容器にぶつかり与えている力を面積で割ったものであり、圧力を大きくすると気体分子が減少する向きに平衡は移動する。逆に圧力を下げると気体分子が増加する向きに移動する。反応式を見ると左辺の分子数は N_2 が 1、H_2 が 3、合わせて 4 で右辺は 2 となる。よって圧力を上げると右向きに平衡は移動する。

4　×　圧力を下げると左に平衡は移動する。

5　×　触媒を加えると反応速度は増大するが、平衡移動には関係ない。

以下の記述を読み、正しいものには〇、誤っているものには×をつけよ。

問1
check✓
□□□
ミトコンドリアは好気呼吸に関する様々な酵素を含み、有機物を酸化しエネルギーを作り出すはたらきを持っている。

問2
check✓
□□□
染色体は核のなかにある遺伝子の本体で、DNA を含んでいる。

問3
check✓
□□□
細胞壁は細胞内外の物質の出入りを調整するはたらきをしており、すべての動植物の細胞にある。

問4
check✓
□□□
野菜を食塩水につけるとしおれるのは食塩が細胞を破壊するためである。

問5
check✓
□□□
ヒトの血液型に関して、両親の血液型が B 型でも A 型の子供が生まれる可能性がある。

問6
check✓
□□□
DNA も RNA も一重らせん構造をしている。

問7
check✓
□□□
DNA も RNA も塩基・アミノ酸・リン酸が各 1 分子ずつ結合したヌクレオチドが構成単位となっている。

問1　○　ミトコンドリアは生物が生きていくために必要なエネルギーである ATP（アデノシン三リン酸）を生成する。酸素を使う好気呼吸、酸素を使わない嫌気呼吸などがあるが、好気呼吸が行われている。

問2　○　染色体のなかには生命の設計図といえる DNA が含まれている。

問3　×　設問文は細胞膜についてのものである。細胞壁は植物細胞にのみあり、細胞膜をおおっている。

問4　×　浸透圧に関する問題である。半透膜（小さな分子は通すが大きな分子は通さない膜）で水溶液をしきると、小さい分子である水分子は濃度の低い側から高い側へ膜を通って移動する。これを浸透といい、この力を浸透圧という。細胞膜は半透膜であり、体の内よりも外の方が食塩の濃度が濃いため、体の水分が浸透圧によって流出する結果、野菜はしおれる。

問5　×　ヒトの ABO 式血液型の遺伝子は、A、B、O の3種類ある。A と B は優劣がなく、遺伝子型が AB の場合は AB 型となる。O は A と B に対して劣性であり、遺伝子型が AO、BO のときそれぞれ A 型、B 型となる。O は劣性なので OO の場合だけ O 型となる。設問文のように両親の遺伝子型が B 型の場合、BB、BO のどちらかとなるが、これらを組み合わせても AA、AO はできないので A 型の子供は生まれない。

問6　×　DNA は二重らせん構造であり、RNA は一重らせん構造である。

問7　×　DNA、RNA は塩基・糖・リン酸が結合したヌクレオチドで構成されている。

以下の記述を読み、正しいものには〇、誤っているものには×をつけよ。

問8

ある植物の A、B 遺伝子は連鎖しているが、生殖細胞を作るとき、遺伝子の組換えが起こる。A は a に対して、B は b に対して優性である。

AABB と aabb の遺伝子型を持つ個体を交配させ F1（AaBb）を作る。この F1 を aabb の個体で検定交雑を行うと [AB]：[Ab]：[aB]：[ab]=9：1：1：9 となった。これより A、B の組換え価は 8% となる。

問9
check✓
☐☐☐
遺伝子の本体である DNA の一部を RNA は写し取って、リボソームでタンパク質を合成する。

問10
check✓
☐☐☐
DNA にも RNA の塩基にも A（アデニン）、G(グアニン)、C（シトシン）、T（チミン）が 4 種類含まれている。

問11

DNA も RNA も細胞の核内にのみ存在する。

問12

ゴルジ体ではリボソームで合成されたタンパク質が貯蔵され、細胞外に分泌する。

問8　✕　減数分裂によって配偶子ができるとき同一の染色体に含まれる遺伝子が一緒に遺伝される。これを遺伝子の連鎖というが、減数分裂の過程で染色体の一部が入れ替わる場合が起こる。これを組換えといい、組換えが起こった割合を組換え価と呼ぶ。組換え価は以下の式で求める。

$$組換え価 = \frac{組換えによって生じた個体数}{検定交雑によって生じた全個体数} \times 100$$

組換えでできた個体数は数が小さいほうであるので、〔Ab〕と〔aB〕である。したがって、

$(1 + 1) \div (9 + 1 + 1 + 9) \times 100 = 10$〔％〕

問9　○　DNA のらせん構造の鎖の一部がほどけ DNA の塩基が A（アデニン）ならば RNA の塩基である U（ウラシル）が、G（グアニン）では C（シトシン）が、C（シトシン）には G（グアニン）が、T（チミン）には A（アデニン）がそれぞれ結合する。このように結合するペアが決まっており、これによって転写が行われる。その後 RNA はリボソームに運ばれ、読み取った情報をもとに、塩基の4種類のうち3つの組み合わせに対応するアミノ酸どうしを結合しタンパク質を作る。

問10　✕　DNA の塩基には A（アデニン）、G（グアニン）、C（シトシン）、T（チミン）が、RNA の塩基には A（アデニン）、G（グアニン）、C（シトシン）、U（ウラシル）が含まれる。

問11　✕　DNA は核内に、RNA は核内や細胞質に存在する。

問12　○　ゴルジ体は袋状の構造をしていて、動物の神経細胞などで発達している。

以下の記述を読み、正しいものには○、誤っているものには×をつけよ。

問13
check✓
□□□
植物のさし木や株分けは栄養生殖である。

問14
check✓
□□□
ヒトの赤血球を低張液につけると水が細胞外に出るので収縮する。

問15
check✓
□□□
原形質分離は動物細胞、植物細胞ともに起こる。

問16
check✓
□□□
酵素ははたらく基質（相手）が決まっている。

問17
check✓
□□□
酵素は温度が高いほどよくはたらく。

問18
check✓
□□□
酵素はすべて中性付近ではたらき、酸性やアルカリ性でははたらかない。

問 13　〇　生物の生殖には無性生殖と有性生殖がある。子孫を作るための細胞の配偶子を形成せず性に関係ない生殖が無性生殖、配偶子どうしが合体して新たな個体を作るのが有性生殖である。問題は根・茎・葉の一部が分かれて新しい個体になる栄養生殖にあたる。無性生殖として栄養生殖のほかにもアメーバなどが行う分裂、コケ、カビ、シダなどの胞子生殖などがある。有性生殖として配偶子によって増える配偶子生殖がある。

問 14　×　浸透圧により濃度の薄い低張液につけると吸水するので、半透膜である細胞膜が耐えきれず破れて赤血球の中身が飛び出す。これを溶血という。濃度の濃い高張液につけると逆に水分が移動し収縮する。

問 15　×　植物細胞にのみ細胞壁があり、高張液につけると細胞膜が細胞壁から分離するようになる。これを原形質分離という。

問 16　〇　このように特定の基質にしか反応しない性質を酵素の基質特異性という。この理由は酵素を作るタンパク質は複雑な立体構造を持っているので、特定の基質としか結合できないためである。

問 17　×　タンパク質は熱に弱く、高温では立体構造が変化し凝固などが起こる。タンパク質が本体となっている酵素も同じで、基質と結合できなくなる。酵素には最もはたらきやすい温度があり、動物では 35℃ 前後が最適な温度となっている。

問 18　×　酵素は pH によってはたらきかたが違ってくる。胃液中のペプシンでは pH ＝ 2、すい液中のトリプシンでは pH ＝ 8 が最もよくはたらく。

以下の記述を読み、正しいものには〇、誤っているものには×をつけよ。

問19
check✓
□□□
消化酵素のうち脂肪を脂肪酸とグリセリンに分解するのはリパーゼである。

問20
check✓
□□□
ミドリムシは適当な光を当てるとべん毛運動によって近づいてくる。これは反射による。

問21
check✓
□□□
熱いものにふれたとき思わず手を引っ込めるのは本能による。

問22
check✓
□□□
クモやハチが決まった形の巣を作るのは本能行動によるものである。

問23
check✓
□□□
はたらきアリは自分の通った後にホルモンを付け、仲間にエサの場所を知らせる。

問24
check✓
□□□
アヒルのヒナはふ化した後約15時間以内に初めて見た動くものを親と思うようになる。これは刷り込みと呼ばれる。

問25
check✓
□□□
梅干しを見るとだ液が分泌されるのは条件反射による。

問26
check✓
□□□
血液に含まれる赤血球は核を含み、ヘモグロビンによって、酸素を運搬する。

問 19　○　**リパーゼ**はすい液に含まれている。ほかにもだ液・すい液に含まれる**アミラーゼ**はデンプンを麦芽糖に分解し、胃液に含まれる**ペプシン**はタンパク質をペプトンに分解している。

問 20　×　刺激に対して方向性のある行動を**走性**という。ガが電灯に集まってくるのも光を刺激とする走性による（**走光性**）。刺激はほかにも**水の流れ**（**走流性**）、**電流**（**走電性**）などがある。

問 21　×　刺激に対して意識とは無関係に起こる反応を**反射**という。**大脳**を通過せず**脊髄**や**延髄**から指令が伝わる。

問 22　○　練習や模倣をせず、生まれながら持っている行動を**本能行動**という。ほかにも鳥は巣を作って卵を温め、小鳥を育てるなども**本能行動**である

問 23　×　体内で合成されて体外へ放出された化学物質が同種の個体間での**本能行動**となる化学物質を**フェロモン**という。カイコガの雄は雌から分泌される**フェロモン**によって交尾を行う。

問 24　○　自然界では普通初めて見るものは親である。親と認識し、親についていくのは生存に有利である。

問 25　○　反射を起こす**刺激**と反射と関係ない**刺激**を繰り返すと反射と関係ない**刺激**だけでその反射が起こるようになる。これを**条件反射**という。

問 26　×　血液中にも**細胞**はあり、白血球には**核**が含まれているが赤血球には**核**が含まれていない。**ヘモグロビン**は酸素が多いところでは酸素と結合し、少ないところでは酸素を放出するはたらきがあり、酸素を**運搬**する。**骨髄**で作られ肝臓とひ臓で破壊される。

以下の記述を読み、正しいものには〇、誤っているものには×をつけよ。

問 27
check✓
□□□
血しょうは血液の液体成分であり、呼吸の結果生じた二酸化炭素や組織で生じた老廃物などを運搬する。

問 28
check✓
□□□
白血球は骨髄で作られ、リンパ節・ひ臓で増える。血液凝固因子を含み、血液凝固に関係する。

問 29
check✓
□□□
血小板はアメーバ運動をして毛細血管のすき間からはい出し、体内に侵入した細菌などを捕食する。

問 30
check✓
□□□
体循環では心臓（左心室）→大静脈→全身の毛細血管→大動脈→心臓（右心房）の順番に循環する。

問 31
check✓
□□□
ワクチン療法とは弱毒菌を接種して免疫記憶を付けることで、病気の予防に役立つ。

問 32
check✓
□□□
血清療法とはウマなどの動物にワクチンを注射し、その動物から血清を取りヘビなどにかまれたとき治療を行うものである。

問 33
check✓
□□□
エイズは、HIV（エイズウイルス）が血小板を標的として攻撃・破壊し、免疫反応が消失する病気である。

問27 ○ 約90％が水で、残りがタンパク質・アミノ酸・糖・脂肪などの**栄養分**や老廃物を含むほか、血液凝固に関係する**フィブリノーゲン**を含む。

問28 × 血液凝固に関係しているのは**血小板**である。**血小板は核**のない細胞である。

問29 × 設問文は**白血球**に関するものである。**白血球は呼吸色素**を持たない**無色・有核**の血球である。

問30 × 心臓から全身に行くのは**大動脈**であり、心臓に戻るのは**大静脈**である。**体循環**では酸素と栄養分を全身の組織細胞に与え、二酸化炭素や老廃物を回収し心臓に戻す。

問31 ○ 病原体や毒素に対して抵抗を持つ現象を**免疫**という。弱毒菌（ワクチン）を接種することで**免疫記憶**が作られ、同じ病原菌（抗原）が入ってきた場合、発病する前に処理できるので、予防効果がある。**アレルギー**は花粉などに体質として**免疫**ができる人がいて、一度**免疫**ができると過剰に病的な反応が起こる現象である。

問32 ○ ウマなどにジフテリア・破傷風・ヘビ毒などのワクチンを注射すれば、**抗体**ができ、それから**血清**をとり、これを患者に注射し、**抗原抗体反応**を利用して治療する。あらかじめ**血清**を注射しても、一週間くらいで**抗体**はなくなるので予防には効果はない。

問33 × HIVは免疫機構の中枢である**リンパ球**のヘルパーT細胞を攻撃・破壊する。ヘルパーT細胞が破壊されると、**体液性免疫**も**細胞性**免疫も作用しなくなり、弱い病原菌やカビも排除できなくなる。

以下の記述を読み、正しいものには〇、誤っているものには×をつけよ。

問34
check✓
☐☐☐

高血糖のときには、すい臓のランゲルハンス島からアドレナリンが分泌され、アドレナリンは血糖量を下げる。

問35
check✓
☐☐☐

低血糖のときには、すい臓のランゲルハンス島からグルカゴンが分泌され、また副腎髄質からアドレナリンが分泌され血糖量を上昇させる。

問36
check✓
☐☐☐

腎臓は細胞にとって毒性であるアンモニアを尿素に変える。

問37
check✓
☐☐☐

ビタミンCは肝臓で合成される。

問38
check✓
☐☐☐

脳幹のうちの間脳の視床下部は記憶中枢となっている。

問34 ✕　アドレナリンではなく**インシュリン**である。小腸で多量のブドウ糖を吸収すると、一時的に**高血糖**になる。このとき、間脳視床下部が副交感神経を通じてすい臓のランゲルハンス島から**インシュリン**を分泌させる。**インシュリン**は肝臓の細胞や脂肪細胞にはたらいて血液中のブドウ糖をグリコーゲンや脂肪に変えるはたらきをするので、血糖量はしだいに減る。**インシュリン**の分泌が上手にはたらかなくなったのが糖尿病である。

問35 ○　グリコーゲンを糖化し、**ブドウ糖**を作るので、血糖量は上昇する。

問36 ✕　腎臓ではなく、肝臓が正しい。体のなかで物質交代が起こると、老廃物である**二酸化炭素**と**アンモニア**を生じる。**二酸化炭素**は肺により排出される。**アンモニア**は肝臓で尿素に合成された後、腎臓で血液からこし出されて尿となり、ぼうこうから体外に排出される。肝臓はほかにも血糖量の維持、血液の循環量の調節、体の内外で生じた血液が肝臓に運ばれ、それを無害に変える解毒作用などを行っている。

問37 ✕　ビタミンは体内では合成されないので原則として毎日の食事からとらなければならない。なお、ビタミンＡが不足すると夜盲症、ビタミンＢ$_1$が不足するとかっけなどの症状を引き起こす。

問38 ✕　視床下部は自律神経の最高中枢で、交感神経や副交感神経を調節し、体温や血糖量を一定に保つはたらきをしている。記憶中枢・精神活動は大脳のはたらきである。いわゆる体で覚えた記憶は小脳に関係しているといわれ、小脳は運動の調節に関係している。

以下の記述を読み、正しいものには○、誤っているものには×をつけよ。

問 39
check✓
□□□
アユはほかのアユが近くにやってくると追い払う性質がある。これを順位制という。

問 40
check✓
□□□
ニワトリがほかのニワトリをつつくという行動は順位制によるものである。

問 41
check✓
□□□
自律神経には交感神経と副交感神経があり、それらは拮抗的にはたらいている。激しい運動をしたときは副交感神経がはたらいてその末端神経からノルアドレナリンが分泌されて心臓のはく動は促進される。

問 42
check✓
□□□
緑色植物は窒素と二酸化炭素を使い、光合成を行う。

問 43
check✓
□□□
ひざの下をたたくと足がはね上がるのは反射によるものである。

問39　×　正しくはなわばり制である。アユには決まったなわばりがあり、そこをエサ場としているので、ほかのアユを追い払う。これを利用してアユと複数のはりをつけたものをアユのところに泳がせ、体当たりしたアユを釣るのがアユの友釣りである。

問40　○　個体間の争いの結果順位が生じ、これによって食物や配偶者の争いが減少する。ニワトリでは常に強いものが弱いものをつつく。ほかにもニホンザルのリーダー制、イワナとヤマメのすみわけ、シマウマとダチョウのように食物がある間は有利、不利が生じない中立作用がある。

問41　×　副交感神経ではなく、交感神経である。意思とは無関係に内臓を調節する神経を自律神経という。自律神経には交感神経と副交感神経があり、そのはたらきは互いに反対である（拮抗的）。交感神経は集中した行動をとっているとき末端神経からノルアドレナリンが分泌されて、必要な器官のはたらきを促進させるのに対して、副交感神経はリラックスしているとき末端からアセチルコリンが分泌されて、消化や吸収、排出などの生物の基本的なはたらきを促進させる。

問42　×　窒素ではなく水である。光合成は緑色植物の細胞の葉緑体で行われる。光合成は水と二酸化炭素を使い、有機物（グルコース）、酸素、水が生じる。植物の色素にはクロロフィルa、クロロフィルb、カロテン、キサントフィルなどがあるが、クロロフィルaが一番よくはたらく。クロロフィルaは赤色光と青紫色の光をよく吸収し、黄色光や緑色光はほとんど反射する。この反射のために葉が緑色に見える。

問43　○　しつがい腱反射という。感覚神経を伝わった刺激が脊髄に伝わり、大脳を経ずに運動神経に伝わるような経路を反射弓という。

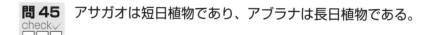

生　物

問　題

以下の記述を読み、正しいものには〇、誤っているものには×をつけよ。

問 44
check✓
□□□
エアコンや冷蔵庫の冷媒などに利用されてきたフロンガスが有害な紫外線を吸収するオゾン層を破壊するため、酸性雨が発生する。

問 45
check✓
□□□
アサガオは短日植物であり、アブラナは長日植物である。

問 46
check✓
□□□
ブドウ糖は体内でグリコーゲンに変えられ、すい臓や筋肉に貯蔵される。

問 47
check✓
□□□
チロキシンは甲状腺から分泌され、代謝を促進するはたらきを持つ。

問 48
check✓
□□□
激しい運動をすると乳酸が生じて筋肉に蓄積され、筋肉疲労となる。

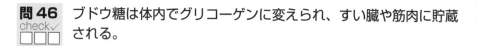

問44　×　地上20kmから40kmにオゾン（O_3）が集まって層を作っている。紫外線の増加により皮膚ガンや白内障、免疫力の低下などが心配されている。酸性雨は排気ガスなどによる硫黄酸化物、窒素酸化物によるpH5.6以下の雨である。森林や農作物への被害が出ている。

問45　○　一日の暗期（夜）が一定時間よりも短くなると花を咲かせる植物を長日植物といい、一日の暗期が一定時間以上になると花を咲かせる植物を短日植物という。短日植物には、アサガオ、イネ、キクなどがあり、長日植物にはアブラナ、ホウレンソウ、コムギなどがある。実際、夕方ごろからアサガオに黒い袋をかぶせるといつもより早く花が咲く。また、日長と関係なく花を咲かせる植物を中性植物という。

問46　×　すい臓ではなく、肝臓が正しい。炭水化物を摂取すると、ブドウ糖にまで分解されて小腸で吸収される。吸収されたブドウ糖は、グリコーゲンとして主に肝臓に蓄えられ、必要に応じて再びブドウ糖の形で利用される。

問47　○　脳下垂体前葉から分泌される刺激ホルモンによって甲状腺は刺激され、チロキシンを分泌する。チロキシンはほ乳類などでは生物の基礎代謝などにかかわっているが、両生類では、オタマジャクシのカエルへの変態も促進する。

問48　○　筋肉疲労は、運動によりグリコーゲンやブドウ糖からエネルギーが生成される際に同時に生成される乳酸が蓄積されるために起こる。

生　物

問49
エンドウマメの種子には丸いものとしわのものがあり、丸いほうが優性である。また、種子の色は黄色と緑があって黄色が優性である。種子の形の遺伝子はAとa、種子の色の遺伝子はBとbを用いる。丸・緑（遺伝子型AAbb）としわ・黄（aaBB）の交配で生じたF1はすべて丸・黄となった。このF1を自家受精させたときに生じるF2の表現型の分離比は次のうちどれか。

	丸・黄		丸・緑		しわ・黄		しわ・緑
1	3	:	1	:	3	:	1
2	1	:	0	:	3	:	0
3	1	:	1	:	1	:	1
4	3	:	0	:	1	:	0
5	9	:	3	:	3	:	1

問49　正解　5

　丸・緑（AAbb）の配偶子 Ab としわ・黄（aaBB）の配偶子 aB を交配してできる遺伝子型F1は AaBb となる。F1 がすべて丸・黄となったのは a より A、b より B が優性であるためである。自家受精とは「同じ遺伝子型のものどうしの交配」であるので、F2 は丸・黄（AaBb）と丸・黄（AaBb）の交配で生じる遺伝子型の個体である。

　AaBb が作る配偶子の遺伝子型の種類は A が B、b と組む場合（AB、Ab）と a が B、b と組む場合（aB、ab）が考えられる。

　したがって、AaBb の配偶子の比は AB：Ab：aB：ab ＝ 1：1：1：1 となるので、これらの配偶子を交配させると以下の表のようになる。生じる子どもは配偶子どうしのすべての組み合わせを考える必要があり、AB × AB ならば AABB、aB × aB ならば aaBB となる。

　[　] は表現型（実際に現れる形質）であり、[AB]：[Ab]：[aB]：[ab] ＝ 9：3：3：1 となる。よって正解は **5** となる。

	AB	**Ab**	**aB**	**ab**
AB	AABB [AB]	AABb [AB]	AaBB [AB]	AaBb [AB]
Ab	AABb [AB]	AAbb [Ab]	AaBb [AB]	Aabb [Ab]
aB	AaBB [AB]	AaBb [AB]	aaBB [aB]	aaBb [aB]
ab	AaBb [AB]	Aabb [Ab]	aaBb [aB]	aabb [ab]

問50 根粒細菌とマメ科植物の関係に関するもののうち正しいものはどれか。

1　根粒細菌は土中の水に溶けた養分を吸収し、窒素化合物を作る。こうした窒素化合物の一部をマメ科植物はもらい、マメ科植物からは光合成で得られた炭水化物の一部をもらう。

2　根粒細菌はマメ科植物に寄生し、マメ科植物の栄養分を奪う関係があり、これを片利共生という。

3　根粒細菌とマメ科植物の関係にはどちらにとっても利益も害もない。

4　根粒細菌は空気中の窒素から窒素化合物を作り、マメ科植物に提供する。

5　根粒細菌はマメ科植物の代わりに土中の水分を取り入れてこれを提供している。

問 50　正解　4

　タンパク質は動物・植物にとって細胞の原形質を形成する重要な物質となっている。植物は窒素同化によりタンパク質を合成する。根粒細菌はマメ科植物の根に入り込み増殖すると、はじめて空気中の窒素を固定できる。これによって生じた窒素化合物をマメ科植物に提供し、逆にマメ科植物からは炭水化物の一部をもらっている。このように両者とも利益がある関係を相利共生という。

1　×　根粒細菌は土中からではなく空気中の窒素を取りいれて窒素化合物を作る。

2　×　一方にのみ利益があり、他方には利益も害もない関係を片利共生という。根粒細菌とマメ科植物の関係は相利共生である。サメとコバンザメの関係などは片利共生である。

3　×　どちらにも有利なので誤りである。

4　○　多くの植物は空気中の窒素を直接同化できないが、アゾトバクター、クロストリジウム、ラン藻類などは窒素固定ができる。こうして土中に溶けた硝酸イオンやアンモニウムイオンを根から吸収し、アミノ酸を合成している。

5　×　マメ科植物は根粒細菌の助けを借りずに直接根から水を吸収できる。

以下の記述を読み、正しいものには〇、誤っているものには×をつけよ。

問1
check✓
☐☐☐
プレートは海嶺で作られ、海溝で海洋プレートは大陸プレートの下に沈み込む。

問2
check✓
☐☐☐
日本の地震の震源の深さは日本海側より太平洋側のほうが深い。

問3
check✓
☐☐☐
地震のP波は外核を伝わらない。この結果から外核は液体だとわかる。

問4
check✓
☐☐☐
大気の温度は高度とともに常に減少する。

問5
check✓
☐☐☐
どの惑星も太陽のまわりを同じ向きに公転し、自転も同じ向きである。

問1　○　海底にある海嶺と呼ばれる大山脈でマグマがわき出し、プレートが作られている。そして、密度が大きい海洋プレートは大陸プレートの下に沈み込む。ここで海溝を形成する。海嶺付近は温度が高く、海溝付近は温度が低い。

問2　×　日本の地震は海溝に沈む海洋プレートに沿って起こるので、太平洋側では、震源が浅い浅発地震が多い。日本海側へ行くほどプレートは深く沈み込み、深発地震が起こる。地震が発生した地下の場所を震源、その真上の地表を震央という。

問3　×　P（Primary）波ではなく、S（Secondary）波が正しい。地震の伝わる速度はS波よりP波の方が速い。P波は波の進行方向と同じ向きに振動する縦波であり、S波は波の進行方向と直角の向きに振動する横波である。S波はうねりを固体に伝えることで振動が伝わる。したがってP波は固体・液体・気体中を伝わるが、S波は固体しか伝わらない。この結果、外核は液体だとわかる。

問4　×　大気は気温変化によって熱圏、中間圏、成層圏、対流圏に分けられる。地表から約11kmの対流圏では高度とともに気温は下がり、約11km～約50kmの成層圏では20kmまでは気温は一定で、20km付近から気温が上がる。これはオゾン層が紫外線を吸収するためである。約50km～約86kmの中間圏では気温が下がる。約86km～大気の上限の熱圏ではX線を吸収し高度とともに急激に気温は上がる。このように大気の気温は減少→上昇→減少→上昇をしている。

問5　×　自転は同じ向きではない。北からみると太陽系惑星の公転方向はすべて反時計回りであるが、自転の向きはほかの惑星は反時計回りだが、金星は自転の向きが時計回りで、天王星は横倒しになったように自転している。

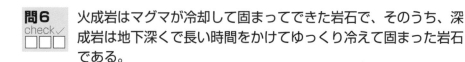

以下の記述を読み、正しいものには〇、誤っているものには×をつけよ。

問6
check✓
□□□
火成岩はマグマが冷却して固まってできた岩石で、そのうち、深成岩は地下深くで長い時間をかけてゆっくり冷えて固まった岩石である。

問7
check✓
□□□
地層の堆積した時代を決定するのに役立つ化石を示相化石という。

問8
check✓
□□□
古生代の示準化石はサンヨウチュウ、中生代はアンモナイト、新生代はビカリアが挙げられる。

問9
check✓
□□□
気象現象が起こるのは成層圏である。

問10
check✓
□□□
示準化石によって決められるのは絶対年代である。

問6　○　火成岩は冷却の仕方で火山岩と深成岩に分類される。火山岩は地表や地表付近で急速に冷えて固まったために結晶がきちんと成長できず、鉱物がいろいろな大きさとなる斑状組織となる。それに対して深成岩は地下深くで長い時間をかけてゆっくり冷えて固まった岩石のために、鉱物が一つ一つ大きく成長し、大きさもそろった等粒状組織となる。

問7　×　地層の堆積した時代を決定するのに役立つ化石は示準化石である。示準化石の条件は①生存期間が短い②地理的分布が広い③個体数が多いの3つがある。示相化石は地層が堆積した環境を知るのに役立つ化石である。サンゴは浅く、暖かいきれいな海、アサリは岸に近い浅い海、シジミは河口や湖だとわかる。

問8　○　主に動物の進化によって地質時代を区分している。それに役立つのが示準化石である。古い順に先カンブリア時代、古生代、中生代、新生代となる。古生代の示準化石は「サンヨウチュウ、ボウスイ虫（フズリナ）、フデイシ、クサリサンゴ、ロボク、リンボク」、中生代の示準化石は「アンモナイト、始祖鳥、恐竜、三角貝（トリゴニア）、イノセラムス」、新生代の示準化石は「カヘイ石、ビカリア、マンモス、ナウマンゾウ、人類」が挙げられる。

問9　×　成層圏では上空ほど気温が高いために大気が安定しているので、上下方向の運動が生じにくく、雲はできにくい。風は水平方向に吹く。気象現象が起こるのは対流圏である。緯度、地域の温度差により対流が起きる。これによって様々な気象現象が起こる。

問10　×　示準化石が堆積した地層は単に古い、新しいという比較であって、年数は考慮されない。このような年代を相対年代という。一方、岩石の古さは放射性元素によって決定でき、他の岩石に左右されない。このような年代を絶対年代という。

以下の記述を読み、正しいものには〇、誤っているものには×をつけよ。

問 11
check✓
□□□
粘性が高い玄武岩質の溶岩は雲仙普賢岳のような溶岩が盛り上がる溶岩円頂丘を作る。

問 12
check✓
□□□
火成岩の造岩鉱物の長石、石英は有色鉱物である。

問 13
check✓
□□□
温度・圧力などの影響を受け、もとの岩石とは異なった鉱物組成や組織に変化した岩石を変成岩という。

問 14
check✓
□□□
冷たい空気が暖かい空気の下にもぐり込むことで乱層雲ができ、激しい雨が降る。

問 15
check✓
□□□
温暖前線が通過すると気温は上がる。

問 16
check✓
□□□
梅雨は冷たい気団であるシベリア気団と暖かい気団である小笠原気団が停滞前線を作るために発生する。

問11　×　粘性が高いのは玄武岩質ではなく流紋岩質である。玄武岩質の溶岩は粘性が低く、火口から静かに流れ出し「溶岩台地」や「盾状火山」を作る。

問12　×　有色鉱物はかんらん石、輝石、角閃石、黒雲母であり、長石、石英は無色鉱物である。有色鉱物にはMg（マグネシウム）やFe（鉄）が含まれていて、無色鉱物にはこれらが含まれていない。

問13　○　岩石には大きく分けて火成岩、堆積岩、変成岩がある。マグマが地下あるいは地表で冷えて固まった火成岩、岩石や鉱物の破片、生物の遺骸、あるいは化学的な沈殿物が堆積した堆積岩、そして変成岩に分類される。

問14　×　設問文の場合にできる雲は乱層雲ではなく積乱雲である。暖かい空気を一気に押し上げながら進むので、激しい上昇気流が起きて積乱雲ができる。これは寒冷前線で、寒冷前線が通過する地域は雲ができる範囲がせまく、大雨や雷となる。前線通過後、冷たい空気のなかに入るため、気温は下がる。

問15　○　冷たい空気より暖かい空気が勝っていると、暖かい空気が冷たい空気の上にはい上がりながら、冷たい空気をおし進める。このとき高層雲や乱層雲ができる。これは温暖前線で、雲ができる範囲が広く、長時間穏やかな雨が降る。温暖前線通過後、温度は高くなる。

問16　×　シベリア気団ではなくオホーツク気団である。気団とはほぼ同じ気温や湿度を持つ空気のかたまりのことである。冷たい空気（寒気団）と暖かい空気（暖気団）の勢力がほぼ同じだと停滞前線ができ、長時間しとしとした雨が降り、梅雨になる。小笠原気団の勢力が増して日本をおおうようになると梅雨があけ夏になる。

問 題

以下の記述を読み、正しいものには〇、誤っているものには×をつけよ。

問17
check✓
□□□
マグニチュードは地震のエネルギーと関係し、1 増えるとエネルギーは約 32 倍となる。

問18
check✓
□□□
太陽系惑星は木星型惑星と地球型惑星に分けられる。地球型惑星は木星型に比べて半径が小さく密度も小さい。

問19
check✓
□□□
地磁気の磁力線にそって飛び込んできた高速の電子や陽子が、高度 100km あたりで大気中の酸素や窒素と衝突し発光する。この現象をデリンジャーという。

問20
check✓
□□□
日本では冬にシベリア高気圧が発達し、東高西低の気圧配置になる。

問 17 ○　マグニチュード（M）が大きくなると地震のエネルギー（E）も大きくなり、次の関係式が成り立つ。

$Log_{10}E = 1.5M + 4.8$

実際に 1 増やした $M' = M + 1$ を入れて計算すると、そのエネルギー E' は

$Log_{10}E' = 1.5 (M + 1) + 4.8 = 1.5M + 4.8 + 1.5$

ここで $Log_{10}E = 1.5M + 4.8$ なので

$Log_{10}E' = Log_{10}E + 1.5$

$Log_{10}E' - Log_{10}E = Log_{10}E'/E = 1.5$

よって $E'/E = 10^{1.5} = 10\sqrt{10}$ となり約 32 倍となる。

問 18 ×　8 つの太陽系惑星のうち、地球型惑星は水星、金星、地球、火星となり、木星型惑星は木星、土星、天王星、海王星となる。また、冥王星は惑星には含まれない。（2006 年 8 月に定められた惑星の定義による。）地球型惑星は組成が Fe（鉄）、O（酸素）、Si（ケイ素）であり、木星型の組成の H（水素）、He（ヘリウム）に比べて比較的重い物質でできているため、密度は大きい。まとめると以下のようになる。

	質量	半径	自転周期	組成	衛星数	環
地球型惑星	小	小	一日以上	Fe、O、Si	0〜2	なし
木星型惑星	大	大	一日未満	H、He	多数	あり

問 19 ×　この現象はオーロラである。デリンジャーとは太陽のフレア（太陽面爆発）によって放射される X 線と紫外線が地球の大気の電離層（熱圏）に強い電離を起こし、短波無線の通信に障害が発生する現象である。

問 20 ×　冬には西高東低の気圧配置になり、北西の季節風が吹く。日本海上で水蒸気を供給され、湿った空気は日本海側に雪を降らせ、山を越えた太平洋側は乾燥したからっ風が吹く。

以下の記述を読み、正しいものには〇、誤っているものには×をつけよ。

問21
check✓
□□□
太陽の黒点は周囲より温度が低いために黒く見える。また、その出現の周期は11年である。

問22
check✓
□□□
ある高さに存在する空気塊が地形などにより強制的に上昇した場合、上空に暖かい空気があると対流が起こる。

問23
check✓
□□□
惑星は太陽を焦点とするだ円軌道を公転する。

問24
check✓
□□□
太陽の光球部分が温度約6000Kなのに対して、黒点の温度は約4000Kである。

問 21　○　太陽の中心部は非常に高温、高圧なので４つの水素の原子核が核融合を起こし、一個のヘリウムができる。そのときにエネルギーが発生する。そのエネルギーは電磁波の形で宇宙空間に放出されるが、黒点では磁場が非常に強いために光が出にくい。そのために暗く見える。また、黒点が出現する数は一定ではなく、平均すると11年で増減を繰り返している。

問 22　✕　ある空気塊の温度がまわりの温度より高いとき、空気塊の密度は小さく浮力によって上昇する。逆に空気塊の温度がまわりの温度より低いとき、空気塊は下降する。このように上昇、下降を続けられる大気の状態を「不安定」という。この問題のように上空に暖かい空気があると、上昇した空気塊はまわりの温度より低くなるために下降して元の高さに戻ろうとする。そのために対流は起こらない。このような大気の状態を「安定」という。

問 23　○　設問文の記述は「惑星は太陽を１つの焦点とするだ円軌道上を公転する」というケプラーの第一法則である。第二法則は「惑星と太陽を結ぶ線分が一定時間に描く面積は惑星ごとで一定」で、面積速度一定の法則と呼ばれる。惑星はだ円軌道を公転するので、太陽との距離は変わるが、惑星が太陽に一番近づく点（近日点）のところで公転速度が最大になり、太陽から一番遠い点（遠日点）で公転速度は最小になる。第三法則は「惑星と太陽の平均距離の３乗と公転周期の２乗の比は一定」というものである。

問 24　○　光球とは、我々が光として見る太陽の表面である。その光球部分の温度は約6000Kで、黒点ではやや低く約4000Kである。

以下の記述を読み、正しいものには〇、誤っているものには×をつけよ。

問 25
check✓
☐☐☐

潮の流れが一日に 2 回変わるのは太陽の引力による。

問 26
check✓
☐☐☐

北半球では気圧の高いところから低いところへ風が吹くと、風は地球の自転のためにやがて等圧線に平行に吹く。

問 27
check✓
☐☐☐

地球から見ると月はいつも同じ表面を向けている。

問 28
check✓
☐☐☐

恒星の明るさは等級で表わされ、1 等星が 6 等星の 100 倍明るいと定義される。しかし、恒星の明るさは距離に反比例して変わるため、恒星本来の明るさを示すことにはならない。

問25　×　　潮汐の周期は月が南中してから、南中するまでの $\frac{1}{2}$ になっている。月がある側の海面では、月の引力に引かれて、海水が盛り上がり、満潮になる。逆に地球の反対側の海では月の引力が弱いため、海水はとり残されたままで、満潮になる。90 度離れたところでは海水が低くなり、干潮となる。海面はラグビーボールのようになる。地球の自転によって月のある面と、反対の面が満潮となるため、一日に 2 回潮の流れが変わる。また、太陽にも潮汐を引き起こす力（起潮力）があり、月の起潮力の約 $\frac{1}{2}$ の大きさになっている。そのため、太陽、月、地球の位置になる新月の時と太陽、地球、月の位置になる満月の時は潮の干満が激しくなり、大潮となる。

問26　○　　風を起こす原動力は気圧差であり、気圧の高いところから低いところに吹く。この力を気圧傾度力という。しかし、北半球の風は地球の自転のために進行方向に右向きの転向力（コリオリの力）がはたらく。最初、等圧線に直角に吹いていた風が、風速が大きくなると転向力も大きくなり等圧線に平行に曲げられ、やがてこれが摩擦力のない上空で気圧傾度力と転向力がつり合う。このときの風を地衡風という。なお、力がつりあうために合力は 0 なので風速は一定となる。

問27　○　　月は自転周期と地球を回る公転周期が等しいので、いつも同じ面が見える。月が満ち欠けしているのは地球のまわりを公転していて、太陽の光を反射する位置が異なるからである。

問28　×　　恒星の明るさは距離の 2 乗に反比例する。1 等星が 6 等星の 100 倍明るいと定義され等級が 1 違うと、$\sqrt[5]{100}$ つまり約 2.5 倍になる。設問文にあるように恒星本来の明るさを知るには 10 パーセク（32.6 光年）の距離から見たときの等級で比べる。このときの等級を絶対等級という。

地　学

問 29
check✓
□□□

気象に関する次の 1 ～ 5 の記述のうち、正しいものはどれか。

1 フェーン現象は空気塊が山腹にそって移動するときに、地面との摩擦で高温となる現象である。

2 フェーン現象は湿った空気塊が山を越えて吹きおりたとき、風下側では高温で乾燥した空気になる現象である。

3 海陸風は陸と海との温度差により生じる。陸には暖まりにくく冷めにくい性質があり、海には暖まりやすく冷めにくい性質があるために起きる。

4 海陸風とは日中は陸から海に向かって陸風と呼ばれる風が吹き、夜間は海から陸に向かって海風と呼ばれる風が吹くことをいう。

5 台風は温帯低気圧が発達し、風速が 17.2m/ 秒以上になったものである。

問29　正解　2

1　×　山腹を上昇するとき、飽和に達して水蒸気の凝結が起き、凝結熱が放出され空気が暖められ温度の減率が下がる。その結果生じる現象である。

2　○　飽和していない空気が山腹に沿って上昇するとき乾燥断熱減率（約1℃/100m）で温度が下がる。その結果、湿度が上がり100%に達した地点から雲が発生し、雨や雪を降らす。この地点からは湿潤断熱減率（約0.5℃/100m）で山頂まで温度が下がる。山頂から下降するときは、乾燥断熱減率で温度が上がるため、元の温度より高く、降水で水蒸気を失ったため乾燥した風が吹く。

3　×　陸は暖まりやすく冷めやすく、海は暖まりにくく冷めにくい。

4　×　日中は海から陸に向かって海風が吹き、夜間は陸から海に向かって陸風が吹く。これは昼間は太陽の熱を受けて陸の温度が急速に上がり、空気が上昇するためそれを補うように風が海から陸へ吹く。逆に夜間は熱の冷めにくい海の方が温度が高くなるため、陸から海へ風が吹く。

5　×　台風は北太平洋西部で発生した熱帯低気圧が、風速17.2m/秒以上に発達したものをいう。強い熱帯低気圧でも、北米周辺の海で発生するものをハリケーン、北インド洋で発生するものをサイクロンという。

問30

check✓
□□□

太陽系の惑星に関する次の1～5の記述のうち、誤っているものはどれか。

1 木星は太陽系最大の惑星であり、大赤斑（大赤点）と呼ばれる大気の渦がみられる。

2 金星は大きさ・重さとも、地球とよく似ていて、大気は二酸化炭素がほとんどを占める。表面温度は500℃近くまで達する。

3 水星の表面はクレーターでおおわれ、昼側で約430℃、夜側ではマイナス約180℃という気温差が激しい惑星である。

4 火星には非常にうすい大気があり、主に水素やヘリウムからなる。

5 土星は環があり、また太陽系のなかでは、木星の次に大きな惑星である。

問30　正解　4

1 ○　木星は大気の組成が水素とヘリウムであり、衛星の数は多数ある。ガリレオ衛星の名で有名な4個の衛星（イオ、エウロパ、ガニメデ、カリスト）のうち、イオでは火山活動がみられ、大赤斑と呼ばれる渦は300年以上前に発見されて以来消えずに観測され続けている。

2 ○　金星の大気は約97％を二酸化炭素がしめている。二酸化炭素は温室効果ガスであり、金星は生命が住めない高い表面温度を維持している。金星は真夜中に見えることはなく、夕方に西の空に見えるとき「よいの明星」、明け方に東の空に見えるときを「あけの明星」と呼ぶ。衛星の数はゼロで、自転の向きはほかの惑星とは逆である。

3 ○　水星は自転周期が長く、大気がないため、昼と夜の温度差が激しい。衛星の数はゼロである。

4 ×　火星は地球型惑星であり、大気が水素やヘリウムであるのは木星型惑星である。大気は約95％が二酸化炭素であり、衛星はフォボスとディモスの2つがある。

5 ○　惑星のなかで一番密度が低い惑星である。大気は主に水素やヘリウムから成る。土星の大きな環は石や氷のつぶでできているが、環があるのは土星だけでなく木星型惑星にはすべて環がある。

第4章

絶対決める！

国語

数学

問　題

以下の記述を読み、正しいものには〇、誤っているものには×をつけよ。

問1
check✓
□□□

「流行はまもなく廃れてしまう。」の下線部の漢字の読みは「すた（れて）」である。

問2
check✓
□□□

「芳しい匂いが食欲をそそる。」の下線部の漢字の読みは「かんば（しい）」である。

問3
check✓
□□□

「彼は難関校の入試に挑んだ。」の下線部の漢字の読みは「のぞ（んだ）」である。

問4
check✓
□□□

「大地を潤す恵みの雨」の下線部の漢字の読みは「ぬら（す）」である。

問5
check✓
□□□

「着物を繕う」の下線部の漢字の読みは「ぬ（う）」である。

問6
check✓
□□□

「柔和な性格の人」の下線部の漢字の読みは「じゅうわ」である。

問7
check✓
□□□

「自然治癒力を高める」の下線部の漢字の読みは「ちゆ」である。

問8
check✓
□□□

「折衷案を出す」の下線部の漢字の読みは「せっちゅう」である。

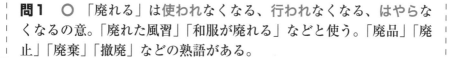

問1 ○ 「廃れる」は使われなくなる、行われなくなる、はやらなくなるの意。「廃れた風習」「和服が廃れる」などと使う。「廃品」「廃止」「廃棄」「撤廃」などの熟語がある。

問2 ○ 「芳しい」はにおいがよい、香りがよい、香ばしいの意。「芳しい香り」「芳しい花」などと使う。熟語は「芳香」「芳醇（ほうじゅん）」など。また、りっぱである、おもしろいの意もあり、多くは下に打消の表現を伴って、「芳しい成績ではない」「景気が芳しくない」のように否定的に使う。

問3 × 「いど（んだ）」が正しい。「挑む」は戦いや争いをしかける、立ち向かってゆくの意。［挑戦・挑発］「入試にのぞんだ」とするなら、「臨んだ」となる。「臨む」は場合、機会などに向かい合う、出席するの意。

問4 × 「うるお（す）」が正しい。「ぬらす」は「濡らす」。「潤す」は水分を与える、不足していたものを豊かな状態にする。［湿潤・豊潤］

問5 × 「つくろ（う）」が正しい。「ぬう」は「縫う」。「繕う」は破れたりこわれたりしたものを直す。［靴下を繕う］また、よそおう、気取る。［体裁を繕う］よく使われる熟語は「修繕」。

問6 × 「にゅうわ」が正しい。「柔」は柔（やわ）らかい。「柔和」とは優しくて穏やかな様子をいう。

問7 ○ 「治癒」は、手当ての結果、病気が治ること。「治」は治す・治る、「癒」は癒（いや）す・癒（い）える。

問8 ○ 「折衷」は、あれこれと取捨して適当なところをとること。「和洋折衷」もよく使われる。

以下の記述を読み、正しいものには〇、誤っているものには×をつけよ。

問9
check✓
□□□
「匿名で投書する」の下線部の漢字の読みは「とくめい」である。

問10
check✓
□□□
「人格を陶冶する」の下線部の漢字の読みは「とうじ」である。

問11
check✓
□□□
「彼の病気は漸次快方に向かっている。」の下線部の漢字の読みは「ざんじ」である。

問12
check✓
□□□
「諸国を行脚する」の下線部の漢字の読みは「あんぎゃ」である。

問13
check✓
□□□
「柔道部の猛者」の下線部の漢字の読みは「もうじゃ」である。

問14
check✓
□□□
「団扇であおぐ」の下線部の漢字の読みは「せんす」である。

問15
check✓
□□□
「竹刀を持ってけいこに出かける」の下線部の漢字の読みは「しない」である。

問16
check✓
□□□
「彼はうやうやしく頭を下げた。」の下線部を漢字にすると、「敬々（しく）」である。

問9　○　「匿（とく）」はかくすこと。「匿名」とは文書などに自分の名を記さないこと。

問10　×　「とうや」が正しい。陶器を造ること、鋳物（いもの）を鋳ることから転じて、人間の持って生まれた性質や才能を円満に育てあげること。

問11　×　「ぜんじ」が正しい。だんだん、次第にの意。「ざんじ」と読むのは「暫時」で、少しの間、しばらくの意。「暫時休憩をとる」のように使う。

問12　○　「行脚」は僧が諸国をめぐって修行すること。また、徒歩で諸国を旅すること。

問13　×　「もさ」が正しい。技術や体力などが人並み以上にすぐれていて、相手から恐れられている存在。

問14　×　「うちわ」が正しい。「せんす」は「扇子」と書く。

問15　○　「竹刀」は剣道のけいこに使う、割り竹をたばねて作った刀のこと。問13〜問15は熟字訓。熟字訓とは、漢字の一字一字の読み方に関係なく、全体で決まった読みを持つ、習慣化された読み方のことである。例として、小豆（あずき）　田舎（いなか）　乙女（おとめ）　雑魚（ざこ）　五月雨（さみだれ）　時雨（しぐれ）　師走（しわす）　山車（だし）　足袋（たび）　築山（つきやま）　梅雨（つゆ）　凸凹（でこぼこ）　名残（なごり）　雪崩（なだれ）　土産（みやげ）　浴衣（ゆかた）などがある。

問16　×　「恭（しく）」が正しい。「恭しい」は、相手をうやまい、礼儀正しくふるまう様子。「敬」は敬（うやま）うで、尊敬する意。

以下の記述を読み、正しいものには〇、誤っているものには×をつけよ。

問 17
check ☑
□□□
「泡はまたたく間に消えてしまった。」の下線部を漢字にすると、「瞬（く）」である。

問 18
check ☑
□□□
「式はとどこおりなく終わった。」の下線部を漢字にすると、「慎（りなく）」である。

問 19
check ☑
□□□
「耳ざわりな言葉が目立つ。」の下線部を漢字にすると、「（耳）触（り）」である。

問 20
check ☑
□□□
「偉大な芸術家の死をいたむ。」の下線部を漢字にすると、「悼（む）」である。

問 21
check ☑
□□□
「財布をふところにおさめる。」の下線部を漢字にすると、「納（める）」である。

問 22
check ☑
□□□
「医務室でちんせい剤を飲ませ、しばらく横にして休ませた。」の下線部を漢字にすると、「沈静」である。

問 17 ○　「瞬く」はまばたきをする。「瞬く間」とは、まばたきをするほどのほんのわずかな時間。「瞬」を使った熟語には「一瞬」「瞬間」「瞬時」などがある。

問 18 ×　「滞（りなく）」が正しい。

滞る―物事が順調に進まないでぐずつく。［交渉が滞る・家賃が半年滞る］熟語には「渋滞」「停滞」など。

憤る―「いきどお（る）」と読み、怒る、ふるいたつ、なげくという意味である。熟語は「憤慨」「憤然」など。

問 19 ×　「(耳) 障 (り)」が正しい。

耳障り―聞いて不愉快に感じたり、うるさく思う様子。

耳触り―耳で聞いた時の感じ。「耳ざわりのいい言葉」の場合には「耳触り」となる。

問 20 ○　正しい漢字である。

悼む―人の死をなげき悲しむ。熟語には「追悼」「哀悼」など。

痛む―体に痛みを感じたり、心に苦しみ・悲しみを感じたりする意。［足が痛む・心が痛む］

問 21 ×　「収 (める)」が正しい。

収める―とり入れる。手に入れる。成果を得る。［箱に収める・利益を収める］

納める―期限がきて、渡すべきものを渡したりしまったりする。［税金を納める・食費を納める・注文の品物を納める］

問 22 ×　「鎮静」が正しい。

鎮静―気持ちがしずまり落ち着くこと。また、そうさせること。［興奮を鎮静する］

沈静―落ち着いて静かなこと。［景気が沈静する・物価が沈静する］

以下の記述を読み、正しいものには〇、誤っているものには×をつけよ。

問23
check✓
☐☐☐
「乗り越し運賃を<u>せいさん</u>する。」の下線部を漢字にすると、「清算」である。

問24
check✓
☐☐☐
「品性が<u>だらく</u>してしまった。」の下線部を漢字にすると、「堕落」である。

問25
check✓
☐☐☐
「国や県を相手に<u>せっしょう</u>中だ。」の下線部を漢字にすると、「折渉」である。

問26
check✓
☐☐☐
「行動を<u>謹</u>む」「<u>慎</u>んで申し上げる」の下線部の漢字の使い方はともに正しい。

問27
check✓
☐☐☐
「のどがからからに<u>渇</u>いた。」と「<u>乾</u>いた土に水がしみ込む。」の下線部の漢字の使い方はともに正しい。

問28
check✓
☐☐☐
「立候補を<u>勧</u>める」「良書を<u>薦</u>める」の下線部の漢字の使い方はともに正しい。

問23　×　「精算」が正しい。

精算─金額などを細かく計算すること。また、計算して過不足などを処理すること。

清算─貸し借りの結末をつけること。転じて、過去の関係などにはっきりした結末をつけること。［借金を清算する］

問24　○　「堕落」は落ちること、身を持ちくずすこと。また、一般に、不健全になること。「堕」にはおちる、くずれるという意がある。「惰落」と書き誤りやすいので注意する。

問25　×　「折衝」が正しい。「折衝」は利害の一致しない者同士の間で行われる政治的な談判・かけひきのこと。相手が衝（つ）いてくるほこ先を折る意から。「折渉」「接衝」と書き誤ることが多い。

問26　×　「行動を慎む」「謹んで申し上げる」が正しい。

慎む─あやまちがないように気をつける。［言動を慎む］　また、度を越さないようにひかえめにする。［暴飲暴食を慎む］

謹む─深く敬意を表わす。現代語では「謹んで（礼を尽くして・うやうやしく）」の形で使われる。［謹んで聞く］

問27　○　正しい使い方である。

渇く─のどにうるおいがなくなり、水を欲する状態になること。熟語は「枯渇」「渇望」など。

乾く─水分や湿気が蒸発してなくなること。熟語は「乾燥」「乾期」など。

問28　○　正しい使い方である。

勧める─さそいうながす。［入会を勧める・客に食事を勧める］
　　熟語は「勧誘」「勧告」など。「奨める」も同じ使い方をする。

薦める─人・物をほめて、用いるように説く。［彼を候補者として薦める・別の品を薦める］　熟語は「推薦」「自薦」「他薦」など。

以下の記述を読み、正しいものには〇、誤っているものには×をつけよ。

問 29
check✓
□□□
「起きてしまったことはしかたがない。善後策をよく考えよう。」の下線部の漢字の使い方は正しい。

問 30
check✓
□□□
「食の安全について、人々の注意を換起する。」の下線部の漢字の使い方は正しい。

問 31
check✓
□□□
「周知を集めて計画を練る。」の下線部の漢字の使い方は正しい。

問 32
check✓
□□□
「選手たちは精根尽き果てた表情で引きあげてきた。」の下線部の漢字の使い方は正しい。

問 33
check✓
□□□
「観客の興奮は最高調に達した。」の下線部の漢字の使い方は正しい。

問 34
check✓
□□□
「犯人を究明する」「真理を糾明する」の下線部の漢字の使い方はともに正しい。

問29　○　「善後策」はうまく後始末をつけるための方策。「善後」は後のためによく計ること、後始末をよくすることで、熟語としては「善後処理」などがある。「前後策」と誤りやすいので注意する。

問30　×　正しくは「喚起」で、呼び起こすこと。
　　喚―呼び寄せるという意味で、「喚」を用いた熟語は他には、「召喚」「喚問」など。
　　換―「換（か）える」で取りかえる意。熟語は「換気」「変換」など。

問31　×　「衆知」が正しい。
　　衆知―多くの人々の知恵のことで、「衆知を集める」という使い方をすることが多い。
　　周知―広く知れわたることで、「周知のとおり」「周知の事実」などと使う。

問32　○　正しい使い方である。
　　精根―物事をするための体力と精神力。［精根が尽きる・精根を使い果たす］
　　精魂―魂の意。［精魂を込めた仕事・精魂を注ぐ］

問33　×　「最高潮」が正しい。感情や緊張が最も高まった状態や場面、クライマックスのことで、「最高潮に達する」という使い方が多い。「最高調」「最高頂」と書き誤りやすいので注意する。

問34　×　使い方が逆になっている。「犯人を糾明する」「真理を究明する」が正しい。
　　糾明―悪事を明らかにすること。［汚職を糾明する・犯行の動機を糾明する］
　　究明―真理・真実をきわめ明らかにすること。［原因を究明する・真理を究明する］

以下の記述を読み、正しいものには○、誤っているものには×をつけよ。

問35
check✓
☐☐☐
「兄と弟の性格はまったく対称的だ。」「研究の対象を一つにしぼろう。」の下線部の漢字の使い方はともに正しい。

問36
check✓
☐☐☐
次の熟語の読み方は、すべて正しい。
克己（こっき）　　更迭（こうてつ）　　凡例（ぼんれい）
杞憂（きゆう）

問37
check✓
☐☐☐
次の下線部の漢字の読み方は、すべて正しい。
人を羨（うらや）む　　友の身の上を慮（おもんばか）る
頑（かたく）なに主張する　　地理に疎（うと）い

問38
check✓
☐☐☐
「ぜったいぜつめいの危機」の下線部の四字熟語を漢字にすると、「絶体絶命」である。

問39
check✓
☐☐☐
「彼女が婚約した相手はだれなのか、きょうみしんしんだ。」の下線部の四字熟語を漢字にすると、「興味深々」である。

問40
check✓
☐☐☐
「多くの人の説が一致すること」という意味を持つ四字熟語は、「異句同音」である。

問41
check✓
☐☐☐
「危機一発のところで、かろうじて命が助かった。」の下線部の四字熟語の使い方は正しい。

問35　×　後者は正しいが前者は誤り。「兄と弟の性格はまったく対照的だ。」が正しい。

　対照—他と照らし合わせること。また、性質の違いがきわだつこと。［原文と対照する・色の対照・対照的な意見］

　対称—二つの点、線、または図形が向かい合ってつり合うこと。シンメトリー。［左右対称の図形・対称の位置・対称的に配置する］

　対象—目標となるもの。めあて。［子どもを対象とした映画・攻撃の対象となる］

問36　×　「凡例」は「はんれい」と読む。ほかは３つとも正しい読み方である。

問37　○　「羨望（せんぼう）」「配慮（はいりょ）」「頑固（がんこ）」「疎遠（そえん）」などの熟語も学習しておこう。

問38　○　体も命もきわまるということ。とうてい逃れられない、さしせまった状態をいう。「絶対絶命」としない。

問39　×　「興味津々」が正しい。

　津々—絶えずあふれ出る様子。興味が次々とわいて尽きることがないさまをいう。

　深々—ひっそりと静まりかえっている様子。［夜が深々と更ける］

問40　×　「異口同音」が正しい。多くの人が口をそろえて同じことを言うこと。［クラスのみんなは異口同音に反対を唱えた］

問41　×　「危機一髪」とするのが正しい。「一髪」は一本の髪の毛の意で、「危機一髪」は、一本の髪の毛で千鈞（きん）の重さをつり上げるような危険、今にも大事が起こりそうな、あぶないせとぎわのこと。「一髪」を「一発」と誤りやすいので注意。

問 題

国 語

以下の記述を読み、正しいものには〇、誤っているものには×をつけよ。

問 42
check✓
□□□

「付和雷□」「呉越□舟」の□には、ともに「同」が入る。

問 43
check✓
□□□

「□束□文」「朝□暮□」「□転□倒」「□載□遇」の□のなかには
すべて漢数字が入るが、「百」という漢字はどこにも入らない。

問 44
check✓
□□□

「東奔西走」とは、ある目的のためにあちこち忙しくかけ回ることをいう。

問 45
check✓
□□□

初めは勢いが盛んであるが、終わりは振るわないことのたとえを
「画竜点睛」という。

問 46
check✓
□□□

「言語道断―片言隻句」「諸行無常―行雲流水」の組合わせの下線
部は、それぞれ同じ読み方をする。

問 47
check✓
□□□

「彼女に謝りに行ったが、面会を断られ、取りつく暇もなかった。」
のなかの慣用句の使い方は正しい。

問42　○　「付和雷同」は、自分の決まった考えがなく、軽々しく他人の説に従うこと。「呉越同舟」は、仲の悪い者同士が一緒にいること。

問43　○　「二束三文」「朝三暮四」「七転八倒」「千載一遇」となる。四字熟語には漢数字を用いたものが多い。その一部を挙げてみる。「一蓮托生」「一触即発」「一石二鳥」「四面楚歌」「四苦八苦」「五里霧中」「傍目八目」「百花繚乱」「百鬼夜行」「千差万別」

問44　○　「とうほんせいそう」と読む。「奔」「走」はともに「はしる」の意。［資金集めに東奔西走する］

問45　×　「竜頭蛇尾（りゅうとうだび）」が正しい。頭が竜のようなのに、尾が蛇のようであることから。
　「画竜点睛（がりょうてんせい）」は、最後のわずかな部分に手を加えることで、全体がりっぱに引き立つことのたとえ。優れた絵師が竜を描き、最後に睛（ひとみ）を書き入れるとたちまち竜となって昇天したという、中国の故事による。「睛」は「晴」ではないことに注意。

問46　×　言語道断（ごんごどうだん）―言葉では説明し尽くせないこと。もってのほかであること。
　片言隻句（へんげんせっく）―話の端々にみられる、ちょっとした表現。
　諸行無常（しょぎょうむじょう）―この世のすべてのものは絶えず移り変わり消滅するもので、一刻の間も同じ状態を保つことがないということ。仏教の根本的な考え方の一つ。
　行雲流水（こううんりゅうすい）―空や雲や川のように、自然のままに行動すること。

問47　×　「取りつく島もなかった」が正しい。「取りつく島もない」は、頼りとする手がかりもないということ。ここでの「島」とは、頼りや助けとなる物事の意。「暇（ひま）」と音が似ているので、誤りやすい。

問　題

以下の記述を読み、正しいものには〇、誤っているものには×をつけよ。

問48
check✓
☐☐☐
「彼女は<u>歯に衣着せぬ</u>物言いをするので反感を買うことも多いが、誠実な人物であることは確かだ。」の下線部の使い方は正しい。

問49
check✓
☐☐☐
「的を射た発言」は誤りで、「的を得た発言」とするのが正しい。

問50
check✓
☐☐☐
「肝に命ずる」は誤りで、「肝に銘ずる」とするのが正しい。

問51
check✓
☐☐☐
「気が置けない友人」という時の「気が置けない」とは、「気づまりでない。気づかいしなくてよい」という意味である。

問52
check✓
☐☐☐
「二の足を踏む」とは、同じ失敗を繰り返すことをいう。

問53
check✓
☐☐☐
人から尋ねられた時に話の内容が食い違わないように、あらかじめ示し合わせることを、「口車を合わせる」という。

問54
check✓
☐☐☐
「瓢箪（ひょうたん）から駒（こま）が出る」ということわざは、不可能にみえることでも、努力すれば実現できることのたとえである。

問48　○　「歯に衣（きぬ）着せぬ」は、相手に遠慮せず、思っていることを率直にいうこと。

問49　×　「的を射た発言」が正しい。「的（まと）」は、弓や鉄砲の発射練習をする時に目標として立てておくもの。また、めあて、目標。「的を射る」とは、的の中心を射るように、物事の肝心な点を確実にとらえているということ。「当を得る（道理にかなっている）」と混同しないようにしよう。

問50　○　「肝（きも）」はここでは精神、心の意。「銘ずる」は心に深く刻みつけて忘れない。心に「命令する」のではない。［いいかげんな気持ちではこの仕事は務まらないということを、肝に銘じておきなさい］

問51　○　「気が置けない」「気の置けない」とは、気楽に打ち解けられることをいい表わしているが、「気を許せない。油断できない」のように反対の意味で使っている人が多い。

問52　×　「二の足を踏む」は、ためらってどうしようかと迷う意。［彼を誘おうと思ったが、断られるかもしれないと思い、二の足を踏んだ］「二の足」は二番目の足。「人と同じ失敗を繰り返す」という意味の「二の舞を演ずる」と混同しないようにすること。

問53　×　「口裏を合わせる」が正しい。「口車」は、口先のうまい言い回しのことで、「口車に乗る（うまい言葉でだまされる）」「口車に乗せる」のように使う。

問54　×　駒とは、馬のこと。「瓢箪から駒が出る」とは、意外なところから意外な物が出てくることのたとえ。冗談半分のこと、また思いもよらぬことが事実となってしまう場合などにいうこともある。「瓢箪から駒」ともいう。

以下の記述を読み、正しいものには〇、誤っているものには×をつけよ。

問 55
check✓
□□□
「彼に抗議したが、□□ であしらわれた。」の □□ に入る語は「鼻」である。

問 56
check✓
□□□
「師の教えは、他山の石としてこれからの指針としよう。」の下線部のことわざの使い方は正しい。

問 57
check✓
□□□
「先生、枯れ木も山のにぎわいといいますから、今度の祝賀会にはぜひ出席してください。」の下線部のことわざの使い方は正しい。

問 58
check✓
□□□
「彼にいくら注意しても糠（ぬか）に釘（くぎ）で、いっこうに改めようとする気配がない。」の下線部のことわざの使い方は正しい。

問 59
check✓
□□□
「石橋をたたいて渡る」ということわざは、慎重すぎる人を皮肉っていうのに使うこともある。

問55　○　「鼻であしらう」とは、相手の言葉にろくに返事もせずに、冷淡にあしらう意。身体の部分を含んだ慣用句には、口が軽い・口を滑らせる・目が肥える・目が高い・鼻で笑う・鼻をあかす・顔から火が出る・顔をつなぐ・足を洗う・足が地に着く・手がふさがる・手を焼く・歯が浮く・歯が立たない・腹を割る・腹にすえかねる・肩で風を切る・肩を並べるなどがある。

問56　×　「他山の石」は自分の玉を磨く砥石（といし）として役に立つ、他の山の石。転じて、自分の修養の助けとなる他人の言行。つまらないこと、自分より劣っている者の言行であっても、自分の才能や人格を磨く反省の材料とすることができる、その材料のことをいう。模範の意として使うのは誤り。「部下の不平不満も、他山の石として受け止めよう。」なら正しい。

問57　×　「枯れ木も山のにぎわい」は、枯れ木でも山に趣を添える意から、つまらないものでもないよりはましであることのたとえである。したがって、問題の例は、先生に対して失礼な表現である。「枯れ木も山のにぎわいというから、私のような年寄りが君たちの仲間入りするのもいいだろう。」という使い方なら、適切である。

問58　○　糠に釘を打っても少しも手ごたえがないように、いっこうにききめがないということのたとえ。似た意味を持つことわざに、「豆腐にかすがい」「暖簾（のれん）に腕押し」がある。

問59　○　堅固に見える石橋でも、たたいてその安全を確かめて渡る意。慎重に事を行うこと、用心の上にも用心することのたとえ。しばしば慎重すぎる人を皮肉って使われ、「石橋をたたいても渡らない」といういい方もする。

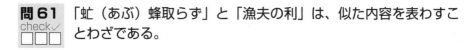

以下の記述を読み、正しいものには〇、誤っているものには×をつけよ。

問60
check✓
□□□
「弘法にも筆の誤り」と「河童（かっぱ）の川流れ」は、似た内容を表わすことわざである。

問61
check✓
□□□
「虻（あぶ）蜂取らず」と「漁夫の利」は、似た内容を表わすことわざである。

問62
check✓
□□□
「一攫（いっかく）千金」と「濡れ手に粟（あわ）」は、似た内容を表わしている。

問63
check✓
□□□
「虎穴に入らずんば虎子を得ず」と「あとは野となれ山となれ」は反対の内容を表わすことわざである。

問60　○　「弘法にも筆の誤り」は、弘法大師のような書道の名人でも書き損じをすることがあるという意。「河童の川流れ」は、泳ぎのうまい河童でも、時には水に流されることもあるという意。どちらも、その道の名人・達人でも、時には失敗することがあるという意味。「猿も木から落ちる」も同様の意味を持つ。

問61　×　「虻蜂取らず」は、取ろうとした虻も蜂も両方逃がしてしまうことから、あれもこれも両方をと欲張ると、どちらもだめになるということ。これと似た意味のことわざに「二兎（と）を追う者は一兎をも得ず」がある。「兎」はうさぎ。
　「漁夫の利」は、二者が争っているすきに、第三者が利益を横取りするという意。しぎがはまぐりの肉を食べようとして貝にくちばしを入れるとはさまれてしまい、互いに離さず争っているうちに、漁師が来て両方を捕らえてしまったという、中国の故事による。

問62　○　「一攫千金」は、いちどきにたくさん大金をもうけること、たいした苦労をせずに一仕事して大きな利益を得ることである。「一攫」はひとつかみという意。
　「濡れ手に粟」は、濡れた手で粟（穀物の一種）をつかむと、粟粒がそのままついてくるように、苦労しないで多くの利益を得ることをいう。

問63　×　「虎穴（こけつ）に入（い）らずんば虎子（こじ）を得ず」は、虎の住むほら穴に入っていくという危険をおかさなければ、虎の子を生け捕りにすることはできないということから、危険をおかさなければ目的を達することはできないという意。反対の意味のことわざは「君子危うきに近寄らず」。
　「あとは野となれ山となれ」は、自分にとって大事なことが終わった以上は、その先どうなろうとかまわないという意。反対の意味のことわざは「立つ鳥あとを濁さず」。

以下の記述を読み、正しいものには〇、誤っているものには×をつけよ。

問 64
check✓
□□□
「武士は食わねど高楊枝（たかようじ）」と「衣食足りて礼節を知る」は反対の内容を表わすことわざである。

問 65
check✓
□□□
「貧すればどんする」の下線部の漢字は「貪（する）」である。

問 66
check✓
□□□
「もっと小さな声で話そう」の「もっと」は副詞、「小さな」は形容詞、「話そ」は動詞、「う」は助動詞である。

問 67
check✓
□□□
「席を離れるとしかられるので、その子はじっと座っていた。」について、「離れる」の「れる」は動詞の活用語尾、「しかられる」の「れる」は受身の助動詞である。

問 68
check✓
□□□
「今日は寒くなりそうだ。」の下線部は伝聞の助動詞、「彼は旅行に出かけるそうだ。」の下線部は推定の助動詞である。

問 69
check✓
□□□
「実家から桃が届きました。先生は桃がお好きだとうかがったので、お持ちしました。お口に合うかどうかわかりませんが、どうぞいただいてください。」の下線部の敬語表現はすべて正しい。

問64　○　「武士は食わねど高楊枝」は、武士はたとえ貧しくて食事ができなくても、十分食べたようなふりをして楊枝を使う。武士は貧しい境遇にあっても誇りが高いことをたとえていう。

　「衣食足りて礼節を知る」は、生活に困ることがなくなって初めて、人は礼儀に心を向ける余裕ができるということ。

　したがって、2つは反対の内容を表わすといえる。

問65　×　「鈍（する）」が正しい。「貧すれば鈍する」とは、人は貧乏するとその性質や頭のはたらきまで鈍く愚かになるという意。貧乏すると貪欲になるということではない。

問66　×　「小さな」は連体詞である。ほかは正しい。連体詞は活用せず、体言だけを修飾する。「小さい声」という場合の「小さい」は形容詞である。

問67　○　助動詞「れる」「られる」の用法は、受身・可能・自発・尊敬の4つ。「離れる」には助動詞は含まれていない。

問68　×　「今日は寒くなりそうだ」が推定、「彼は旅行に出かけるそうだ」が伝聞である。助動詞「そうだ」の用法は、伝聞と推定。伝聞の場合は用言の終止形に接続し（ここでは「出かける」）、推定の場合は用言の連用形に接続する（ここでは「なり」）。

問69　×　「いただいてください」が不適切。「いただく」は「食べる」の謙譲語で、相手の動作に使うなら尊敬語「召し上がる」が正しい。「召し上がってください」あるいは「お召し上がりください」とする。「うかがう」はここでは「聞く」の謙譲語。「お持ちする」は「お～する」という形で、謙譲語である。

以下の記述を読み、正しいものには〇、誤っているものには×をつけよ。

問70
check✓
□□□
次の敬語のうち、謙譲語は２つである。
おっしゃる・ご覧になる・なさる・参る・くださる・拝見する・
いらっしゃる

問71
check✓
□□□
「如月」は「きさらぎ」と読み、陰暦で二月のことである。

問72
check✓
□□□
「いづれの御時にか、女御、更衣あまたさぶらひ給ひけるなかに、
いとやむごとなき際にはあらぬが、すぐれて時めき給ふありけ
り。」で始まる、日本の代表的な文学作品は「枕草子」である。

問73
check✓
□□□
「需要―供給」「困難―容易」「具体―全体」「露骨―婉曲」の熟語
の組み合わせは、すべて反対語になっている。

問74
check✓
□□□
「繁栄―没落」「混乱―秩序」「帰納―演繹」「倹約―質素」の熟語
の組み合わせは、すべて反対語になっている。

問70　○　謙譲語は、「参る」「拝見する」の２つ。尊敬語は、相手の動作などに関して敬意を表わす言葉。（いらっしゃる・召し上がる・おっしゃる・ご覧になる・お〜になる・〜なさる）謙譲語は、話し手の動作などに関してへりくだった表現をすることにより、相手に敬意を表わす言葉。（うかがう・参る・いただく・申し上げる・拝見する・お〜する・〜いただく）丁寧語は、丁寧な表現をすることにより相手に敬意を表わす言葉。（〜です・〜ます・〜ございます）

問71　○　陰暦の月の呼び方は次のとおり。一月「睦月（むつき）」・二月「如月（きさらぎ）」・三月「弥生（やよい）」・四月「卯月（うづき）」・五月「皐月（さつき）」・六月「水無月（みなづき）」・七月「文月（ふづき・ふみづき）」・八月「葉月（はづき）」・九月「長月（ながつき）」・十月「神無月（かんなづき）」・十一月「霜月（しもつき）」・十二月「師走（しわす）」

問72　×　「源氏物語」が正しい。平安時代の物語で、作者は紫式部。「枕草子」は平安時代の随筆で、作者は清少納言。冒頭は「春はあけぼの。やうやう白くなりゆく山ぎは、すこしあかりて、紫だちたる雲のほそくたなびきたる。」である。

問73　×　「具体一全体」が誤り。「具体」の反対語は「抽象」、「全体」の反対語は「部分」。「需要」は商品に対する購買力の裏づけのある欲望、「供給」は販売または交換のために財・サービスを市場に提供すること。「露骨」はあらわであること、「婉曲（えんきょく）」は遠まわしなこと。

問74　×　「倹約一質素」が誤り。「倹約」と「質素」は類義語である。「帰納」は、個々の事実の間に共通点を求めて、一般的な法則を導き出すこと。「演繹（えんえき）」は、一般的な命題から特殊な命題を、経験に頼らずに論理によって導くことである。

問 75
check✓

下線部の漢字の使い方が２つとも正しいものの組み合わせを１つ選べ。

1　永年<u>務</u>めた会社を定年退職した。
　　今日は私が議長を<u>勤</u>めます。

2　命に<u>代</u>えられるものは何もない。
　　部屋の空気を入れ<u>替</u>える。

3　<u>犯</u>した罪をつぐなう。
　　風雨を<u>冒</u>して出かけた。

4　少年時代を<u>省</u>みて、なつかしく思う。
　　自分の行動を<u>顧</u>みるのは大事なことだ。

5　そろそろ店を<u>締</u>める時間だ。
　　気持ちを引き<u>絞</u>めて事に当たる。

問75　正解　3

1　「永年勤めた会社」「議長を務めます」が正しい。

　　勤める―役所・会社などに通って、そこの仕事をする。

　　務める―役目を受け持つ。［投手を務める・主役を務める］

　　努める―力を尽くしてはげむ。［解決に努める・完成に努める］

2　前者は正しい。「空気を入れ替える」は「空気を入れ換える」が
正しい。

　　代える―あるものや人に、その役をさせる。［書面をもってあいさ
　　　つに代える・選手を代える］

　　変える―前とすっかり違った様子にする。［形を変える・予定を変
　　　える］

　　換える―別の種類のものにとりかえる。［金を物に換える・電車を
　　　乗り換える］

　　替える―前のものをやめて、別のものを登場させる。［担当者を替
　　　える・商売を替える］

3　どちらも正しい。

　　犯す―法律・規則・道徳の定めを破る。［過ちを犯す・法を犯す］

　　冒す―じゃまになる物事を乗り越え、むこうみずに事を行う。［危
　　　険を冒す・尊厳を冒す］

　　侵す―他人の領分や権利に、勝手にふみ入る。［権利を侵す・住居
　　　を侵す］

4　「少年時代を顧みて」「自分の行動を省みる」が正しい。

　　顧みる―過ぎ去った物事を振り返る。後ろを振り返って見る。［過
　　　去を顧みる・背後を顧みる］

　　省みる―自分の行いについて、その良否をよく考える。［自らを省みる］

5　「店を閉める」「気持ちを引き締めて」が正しい。

　　閉める―とじる、ふさぐ。［戸を閉める・ふたを閉める］

　　締める―ゆるんだところをなくして、強く結びつける。［ねじを締
　　　める・財布のひもを締める］

　　絞める―ひもなどでしめる。［首を絞める］

問 76
check☑
□□□

次のことわざの組み合わせのうち、反対の意味を持つものを 1 つ選べ。

1 紺屋の白袴—医者の不養生
2 馬の耳に念仏—釈迦に説法
3 忠言は耳に逆らう—良薬は口に苦し
4 果報は寝て待て—棚からぼたもち
5 寄らば大樹の陰—鶏口となるも牛後となるなかれ

問76　正解　5

1　「紺屋（こうや）の白袴（しろばかま）」は、染物屋でありながら、自分は染めない袴をはいていることから、他人のためにばかり忙しくしていて、自分のことをするひまがないことをいう。

「医者の不養生」は、医者は人に養生を勧めながら自分は案外不養生なものであることから、他人にはりっぱなことをいいながら自分自身は実行が伴わないことをいう。この2つのことわざは似た意味を持つ。

2　「馬の耳に念仏」は、馬が念仏など聞いても少しもありがたく感じないことから、忠告などをいくらいって聞かせても、聞き流すだけでまるで効き目がないことをいう。

「釈迦（しゃか）に説法」は、釈迦に対して仏法を説くように、知り尽くしている人に教えることの愚かさをいう。

3　「忠言は耳に逆らう」は、忠告の言葉は気にさわることが多いが、自分の行いにはためになるということ。

「良薬は口に苦し」は、よい薬は苦くて飲みにくいが、病気にはよく効くということ。「論語」に「良薬は口に苦けれども病に利あり、忠言は耳に逆らえども行いに利あり。」とあることから。

4　「果報は寝て待て」は、幸運はあせらずに、静かにその時機のくるのを待つのがよいということ。

「棚からぼたもち」は、棚からぼたもちが落ちてきて、ちょうど開いていた口へ入る。思いがけない幸運にめぐりあうことのたとえ。

5　「寄らば大樹の陰」は、木の下に身を寄せるとしたら、小さな木よりも大木の下のほうがよい、勢力のある者に頼るほうが安全であり、利益も多いということ。

「鶏口（けいこう）となるも牛後（ぎゅうご）となるなかれ」は、大きな団体でしりに付いているよりも、小さな団体でもその長になれということ。鶏（にわとり）を小さな団体、牛を大きな団体にたとえている。この2つのことわざは、反対の意味を持つといえる。

数　学

問1
check✓
□□□

2次関数 $y = 2x^2 + 4x - 1$ のグラフの頂点の座標と軸の方程式の組み合わせとして正しいものを、次の 1 〜 5 の中から選べ。

1　頂点 $(-1, -2)$、軸の方程式 $x = -1$
2　頂点 $(-1, -2)$、軸の方程式 $y = -1$
3　頂点 $(1, -3)$、軸の方程式 $x = -1$
4　頂点 $(-1, -3)$、軸の方程式 $x = -1$
5　頂点 $(-1, -3)$、軸の方程式 $y = -1$

問2
check✓
□□□

2次関数 $y = -x^2 + 4x + 5$ のグラフと x 軸との交点の座標として正しいものを、次の 1 〜 5 の中から選べ。

1　$(0, 5)$
2　$(5, 0)$、$(1, 0)$
3　$(5, 0)$、$(-1, 0)$
4　$(-5, 0)$、$(1, 0)$
5　$(-5, 0)$、$(-1, 0)$

問3
check✓
□□□

2次関数 $y = 3x^2 - 12x + 7$ のグラフと1次関数 $y = 3x + 49$ のグラフの交点を、次の 1 〜 5 の中から選べ。

1　$(7, 60)$、$(-2, 43)$
2　$(7, 70)$、$(-2, 43)$
3　$(-7, 28)$、$(2, 55)$
4　$(-7, 18)$、$(2, 55)$
5　$(-7, 70)$、$(-2, 43)$

問1　正解　4

　頂点の座標・軸の方程式のようなグラフの概形が知りたいときにはまず**平方完成**する。一般に2次関数 $y = a(x - p)^2 + q$ の頂点は (p, q) であり、軸の方程式は $x = p$ であることに注意したい。

　$y = 2x^2 + 4x - 1 = 2(x + 1)^2 - 3$ であるから、頂点は $(-1, -3)$ であり、軸の方程式は $x = -1$ である。

問2　正解　3

　x 軸との交点ということから、y 座標が 0 であることがわかるので、2次関数の式に $y = 0$ を代入する。つまり、$0 = -x^2 + 4x + 5$ を解けばよい。これは、$(x - 5)(x + 1) = 0$ であるから、$x = 5$、-1 である。

　よって、2次関数 $y = -x^2 + 4x + 5$ のグラフと x 軸との交点の座標は、$(5, 0)$、$(-1, 0)$ である。

問3　正解　2

　交点の座標は 2 つの式を連立させて解けばよいので、$3x^2 - 12x + 7 = 3x + 49$ を解けばよい。

　これを解くと、$x = 7$、-2 であるから、これをもとの式に代入して y 座標を求めれば、$(7, 70)$、$(-2, 43)$ である。

問　題

問4
check✓
□□□

2次関数 $y = -2x^2 + 3x - 1$ のグラフを x 軸方向に -3、y 軸方向に $+9$ だけ平行移動したグラフの式を、次の1～5の中から選べ。

1　$y = -2x^2 - 9x - 1$
2　$y = -2x^2 - 9x - 19$
3　$y = -2x^2 + 15x - 19$
4　$y = -2x^2 + 15x - 37$
5　$y = -2x^2 + 15x + 19$

問5
check✓
□□□

2次関数 $y = x^2 + 4x - 2$ を x 軸方向に $+6$ だけ平行移動した後に、x 軸に対称に移動させたグラフの式を、次の1～5の中から選べ。

1　$y = x^2 - 8x + 10$
2　$y = x^2 + 8x - 10$
3　$y = -x^2 + 8x - 10$
4　$y = -x^2 - 8x + 10$
5　$y = -x^2 - 8x - 10$

問6
check✓
□□□

どんな実数 a の値に対しても、$y = ax^2 + 3ax - 1$ のグラフが必ず通る点として最も適切なものを、次の1～5の中から選べ。

1　$(0, -1)$
2　$(0, 1)$
3　$(-3, -1)$
4　$(-3, 1)$
5　$(0, -1)$ と $(-3, -1)$

問4　正解　1

　一般に、x 軸方向に $+p$、y 軸方向に $+q$ だけ平行移動させる場合、x と書いてあるところをすべて $x-p$ に、また、y と書いてあるところをすべて $y-q$ に変えればよい。本問の場合、x を $x-(-3)$、つまり、$x+3$ に、y を $y-9$ に変えればよいから、$y-9=-2(x+3)^2+3(x+3)-1$ であり、これを展開して整理すれば、$y=-2x^2-9x-1$ である。

問5　正解　3

　一般に、x 軸対称に移動させる場合 y を $-y$ に、y 軸対称に移動させる場合 x を $-x$ に、原点対称に移動させる場合 x を $-x$ に y を $-y$ に、それぞれ変えればよい。本問の場合 x 軸方向に $+6$ だけ平行移動した後に、x 軸対称に移動させるわけだから、まず、x を $x-6$ に変えて、次に y を $-y$ に変えればよい。

　よって、$-y=(x-6)^2+4(x-6)-2$ であり、これを展開して整理すると、$y=-x^2+8x-10$ となる。

問6　正解　5

　「どんな実数 a の値に対しても……」といわれているので、$y=ax^2+3ax-1$ を a についての恒等式とみなせばよい。つまり、移項して a についてまとめる。すると、$a(x^2+3x)-1-y=0$ となりこの式が a の値に関係なく成り立つ x、y の値を求めればよいのだが、それにはそれぞれの項の係数が 0 になればよいので、$x^2+3x=0$ と $-1-y=0$ を満たすことになる。

　これを解くと、$x=0$、-3、$y=-1$ なので、$(0,-1)$ と $(-3,-1)$ が題意の点である。

数　学

 問7
2次関数 $y = -x^2 + 3x - 5$ のグラフに $y = -2x + b$ が接するときの b の値を、次の $1 \sim 5$ の中から選べ。

1 $b = \dfrac{-5}{4}$　　**2** $b = \dfrac{5}{4}$　　**3** $b = \dfrac{7}{3}$

4 $b = 5$　　**5** $b = 19$

 問8
$y = -2x + 1$ に平行で $(3, 6)$ を通る直線の式を、次の $1 \sim 5$ の中から選べ。

1 $y = \dfrac{1}{2}x + \dfrac{9}{2}$　　　**2** $y = -\dfrac{1}{2}x + \dfrac{15}{2}$

3 $y = 2x$　　**4** $y = -2x + 12$　　**5** $y = -2x - 12$

 問9
$y = 3x - 2$ に垂直で $(-1, 8)$ を通る直線の式を、次の $1 \sim 5$ の中から選べ。

1 $y = 3x + 11$

2 $y = -3x + 5$

3 $y = \dfrac{1}{3}x + \dfrac{25}{3}$

4 $y = -\dfrac{1}{3}x + \dfrac{23}{3}$

5 $y = -\dfrac{5}{2}x + \dfrac{11}{2}$

問7　正解　2

接するということは交点が1つ、つまり、2つの式を連立させて解いた方程式の解が1つになる条件を求めればよい。これは、**重解**を持つ条件であるからその方程式の判別式 $D = 0$ を解けばよい。

本問の場合、まず連立させると $-x^2 + 3x - 5 = -2x + b$ となり、

これを整理して、$x^2 - 5x + 5 + b = 0$ であるから、この2次方程式に対する判別式は、$D = (-5)^2 - 4(5 + b) = 0$ である。

これを解けば、$b = \dfrac{5}{4}$ である。

問8　正解　4

平行な2直線は**傾き**が等しいことを利用して、まず、求める直線の**傾き**を求めると、$y = -2x + 1$ の傾きと等しいわけだから傾きは -2 であり、とりあえず $y = -2x + b$ と書ける。

次に $(3, 6)$ を通るからこの座標を代入して b を求めると、$b = 12$ であるから、求める直線は、$y = -2x + 12$ である。

問9　正解　4

垂直な2直線は傾きの積が -1 になることを利用して、まず直線の傾き a を求めると、$3 \times a = -1$ であるから、$a = -\dfrac{1}{3}$ である。よって、とりあえず $y = -\dfrac{1}{3}x + b$ と書ける。

次に、$(-1, 8)$ を通るからこの座標を代入して b を求めると、$b = \dfrac{23}{3}$ であるから、求める直線は $y = -\dfrac{1}{3}x + \dfrac{23}{3}$ である。

数 学

問10
check✓
□□□
2点（−2,5）、（4,2）を通る直線の式を、次の1〜5の中から選べ。

1 $y = -\dfrac{1}{2}x + 4$　　**2** $y = -\dfrac{1}{2}x - 4$

3 $y = \dfrac{1}{2}x$　　　　　**4** $y = \dfrac{1}{2}x + 6$

5 $y = -2x + 10$

問11
check✓
□□□
1次関数 $y = -x + 4$ において x の変域が $-3 \leqq x < 2$ であるとき、y の変域を、次の1〜5の中から選べ。

1 $2 < y < 7$
2 $2 < y \leqq 7$
3 $2 \leqq y < 7$
4 $2 \leqq y \leqq 7$
5 $-2 < y \leqq 7$

問12
check✓
□□□
2次方程式 $x^2 + 5x + 1 = 0$ の2つの解を α、β とおくとき、$\alpha^3 + \beta^3$ の値を、次の1〜5の中から選べ。

1 -80
2 -90
3 -100
4 -110
5 -120

問10　正解　1

まず傾きから求める。傾き $= \dfrac{y\text{の増加量}}{x\text{の増加量}}$ であるから、下の図より、傾き $= \dfrac{-3}{+6} = \dfrac{-1}{2}$ である。よって、とりあえず $y = -\dfrac{1}{2}x + b$ と書ける。

次に、通る点の座標を代入する。どちらでも答えは同じになるので、好きなほうを代入すればよい。今回は、$(4,2)$ の方を代入するとしよう。すると、$b = 4$ であるから求める直線は $y = -\dfrac{1}{2}x + 4$ である。

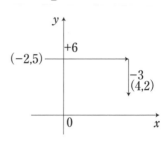

問11　正解　2

変域の問題は、変域の両端の座標を求めて、右のようにグラフを書いて考えると間違いが少ない。その際に、変域の両端に等号が入るか入らないかに注意することが必要である。本問の場合、変域の両端の点は $(-3,7)$、$(2,2)$ であり、グラフより、求める変域は $2 < y \le 7$ である。

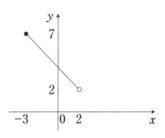

問12　正解　4

この2次方程式を素直に解いて、代入したのでは大変である。一般に2次方程式 $ax^2 + bx + c = 0$ の解 α、β と係数 a、b、c には次のような関係がある。

$$\alpha + \beta = -\frac{b}{a}, \quad \alpha\beta = \frac{c}{a}$$

本問の場合、$\alpha + \beta = -\dfrac{5}{1} = -5$、$\alpha\beta = \dfrac{1}{1} = 1$ である。また、これを代入できるように $\alpha^3 + \beta^3$ を変形しておくと $\alpha^3 + \beta^3 = (\alpha+\beta)^3 - 3\alpha\beta(\alpha+\beta)$ であるから、ここに代入すれば、

$(-5)^3 - 3 \times 1 \times (-5) = -125 + 15 = -110$ である。

数 学

問13 2次不等式 $x^2 + 4x + 2 > 0$ の解として正しいものを、次の1〜5の中から選べ。

  1 $-3 < x < 0$
  2 $-2 - \sqrt{2} < x < -2 + \sqrt{2}$
  3 $x < -2 - \sqrt{2}, \quad -2 + \sqrt{2} < x$
  4 $2 - \sqrt{2} < x < 2 + \sqrt{2}$
  5 $x < 2 - \sqrt{2}, \quad 2 + \sqrt{2} < x$

問14 $x = -1 + \sqrt{3}$ のとき、$3x^3 + 2x^2 + x - 1$ の値を、次の1〜5の中から選べ。

  1 $8\sqrt{3} - 7$
  2 $10\sqrt{3} - 18$
  3 $12\sqrt{3} - 30$
  4 $15\sqrt{3} - 24$
  5 $24\sqrt{3} - 12$

解　説　　　　　　　　　　　　数　学

問13　正解　3

$x^2 + 4x + 2$ は整数の範囲で因数分解することができないから、$y = x^2 + 4x + 2$ のグラフを考えて $y > 0$ となるような x の範囲を求めればよい。

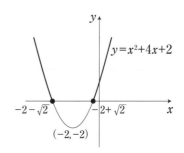

まず、$y = x^2 + 4x + 2$ のグラフと y 軸の交点を求める。解の公式を使って $x^2 + 4x + 2 = 0$ となる x を求めればよく、$x = -2 + \sqrt{2}$, $-2 - \sqrt{2}$ である。$y = x^2 + 4x + 2$ は下に凸のグラフであるから、$y > 0$ となるような x の範囲は、今求めた値の外側ということになる。

したがって、$x < -2 - \sqrt{2}$, $-2 + \sqrt{2} < x$ が解である。

問14　正解　4

$x = -1 + \sqrt{3}$ をそのまま代入してしまっては大変な計算になってしまう。その計算の煩雑さの原因は $\sqrt{}$ があることと、与式の次数が高いことにある。だから、$\sqrt{}$ が消えるように -1 を左辺に移項してから両辺を 2 乗して整理すると、$x^2 + 2x - 2 = 0$ となる。

これを代入できるように、$3x^3 + 2x^2 + x - 1$ を変形したいのだが、それには $3x^3 + 2x^2 + x - 1$ を $x^2 + 2x - 2$ で割ればよい。すると、代入するべき式の次数が下がる。割ると、商が $3x - 4$ で、余りが $15x - 9$ となるので、$3x^3 + 2x^2 + x - 1 = (x^2 + 2x - 2) \times (3x - 4) + 15x - 9$ と表わせる。ここに、$x^2 + 2x - 2 = 0$ と $x = -1 + \sqrt{3}$ を代入すれば、$0 + 15(-1 + \sqrt{3}) - 9 = 15\sqrt{3} - 24$ となる。

数　学

 問 15
check✓
3辺の長さが次の1～5の長さであるような三角形のうち、直角三角形であるものを、次の1～5の中から選べ。

1 3cm、9cm、5$\sqrt{6}$cm
2 1cm、$\sqrt{5}$cm、3cm
3 6cm、4$\sqrt{3}$cm、6$\sqrt{2}$cm
4 5cm、4$\sqrt{6}$cm、11cm
5 10cm、12cm、13cm

 問 16
check✓
下の図の直角三角形 ABC において、AB ＝ a、∠ ACB ＝ θ とするとき、BC の長さを a と θ を用いて表わしたものを、次の1～5の中から選べ。

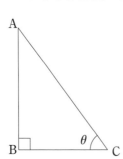

1 $a\sin\theta$　　**2** $a\cos\theta$　　**3** $\dfrac{a}{\cos\theta}$　　**4** $a\tan\theta$
5 $\dfrac{a}{\tan\theta}$

問 17
check✓
$0° \leqq \theta \leqq 90°$、$\tan\theta = 3$ とするとき、$\sin\theta$ の値を、次の1～5の中から選べ。

1 $\dfrac{\sqrt{10}}{10}$　　**2** $\dfrac{3\sqrt{10}}{10}$　　**3** $\dfrac{\sqrt{10}}{3}$

4 $\dfrac{9}{10}$　　**5** $\dfrac{1}{10}$

問15　正解　4

　三平方の定理の逆をそれぞれについて確かめればよい。つまり、最大辺の**2乗**が他の2辺の**2乗**の和に等しいことを確認すればよい。それを満たすのは、**4**のみ。実際、最大の長さ11cmの**2乗**は121であり、他の2辺5cmと$4\sqrt{6}$cmのそれぞれの**2乗**の和は$5^2 + (4\sqrt{6})^2 = 25 + 96 = 121$であるから**三平方の定理の逆**を満たす。**4**以外はこれを満たさない。

問16　正解　5

　AB と BC は $\tan$ の位置関係にあり、$\tan\theta = \dfrac{a}{BC}$ であるから、これを BC について解くと $BC = \dfrac{a}{\tan\theta}$ である。

問17　正解　2

　$0° \leqq \theta \leqq 90°$、$\tan\theta = 3$ ということは右の図のように $BC = 1$、$AC = 3$ という比を持つ直角三角形 ABC を考えればよいので、$AB = \sqrt{1^2 + 3^2} = \sqrt{10}$ という比になる。

　よって $\sin\theta = \dfrac{3}{\sqrt{10}} = \dfrac{3\sqrt{10}}{10}$ である。

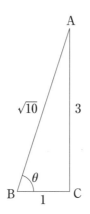

問 18
check✓
□□□

cos（90°＋θ）をθで表わしたものを、次の１～５の中から選べ。

1 sin θ
2 － sin θ
3 cos θ
4 － cos θ
5 － tan θ

 問 19
check✓
□□□

下の図のような△ABCの外接円の半径を、次の１～５の中から選べ。

1 5cm

2 $\dfrac{10\sqrt{3}}{3}$ cm

3 10cm

4 $\dfrac{20\sqrt{3}}{3}$ cm

5 15cm

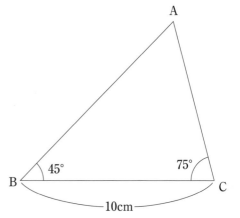

問 18　正解　2

　まず、$90°+\theta$ と $90°-\theta$ の三角比の関係を単位円による定義から思い出してみたい。下の図のように、単位円における $90°+\theta$ の点と $90°-\theta$ の点は **y 軸**対称であるから、$\cos(90°+\theta)=-\cos(90°-\theta)$ が成り立つ。また、$\cos(90°-\theta)=\sin\theta$ であるから、$\cos(90°+\theta)=-\sin\theta$ である。

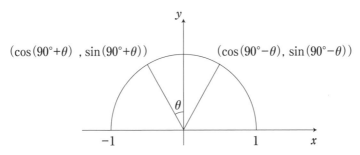

問 19　正解　2

　「外接円の半径」ときたら、**正弦**定理である。$\angle BAC=180°-(45°+75°)=60°$ であるから、外接円の半径を Rcm とすると、$\dfrac{10}{\sin60°}=2R$ が成り立つ。よって、$R=\dfrac{1}{2}\times10\div\sin60°=\dfrac{1}{2}\times10\times\dfrac{2}{\sqrt{3}}=\dfrac{10\sqrt{3}}{3}$ cm である。

問20
下の図のような直角三角形 ABC の内接円の半径を、次の 1 ～ 5 の中から選べ。

1 2.4cm
2 2.5cm
3 3cm
4 3.2cm
5 3.6cm

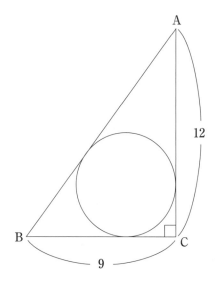

解答・解説

問20　正解　3

　「内接円の半径」ときたら、**面積の利用**である。内接円の中心を O とすると、接しているので O と各辺との接点を結ぶと**垂線**になる。よって、△ ABC ＝△ OAB ＋△ OBC ＋△ OCA となる。

　また、**三平方の定理**より AB ＝ 15cm であり、内接円の半径を r とおくと、$9 \times 12 \times \dfrac{1}{2} = 15 \times r \times \dfrac{1}{2} + 9 \times r \times \dfrac{1}{2} + 12 \times r \times \dfrac{1}{2}$ が成り立ち、これを解くと、$r = 3$ となるので、内接円の半径は 3cm である。

第5章

絶対決める！

数的推理

判断推理

数的推理

問1
check✓
□□□

[x] は x を超えない最大の整数を表わすものとする。このとき、[x] ＝ 4 または 5 になる x の範囲を次の 1 ～ 5 の中から選びなさい。

1　$4 \leqq x \leqq 5$
2　$4 \leqq x < 5$
3　$4 \leqq x \leqq 6$
4　$4 \leqq x < 6$
5　$4 < x \leqq 6$

問2
check✓
□□□

$\frac{2}{7}$ より大きく、$\frac{1}{3}$ より小さい分数がある。このような分数の中で、分子が 17 になるのは全部でいくつあるか、次の 1 ～ 5 の中から選びなさい。

1　6 個
2　7 個
3　8 個
4　9 個
5　10 個

問3
check✓
□□□

4 つの数 A、B、C、D がある。次の 4 つの計算をしたところ、答えがすべて同じになった。このとき、A、B、C、D を大きい順に並べたものとして正しいものを、次の 1 ～ 5 の中から選びなさい。
A ÷ $\frac{5}{3}$、B ÷ $\frac{3}{2}$、C ÷ 1.6、D ÷ 1.7

1　B → C → A → D
2　B → C → D → A
3　C → B → A → D
4　D → A → C → B
5　D → C → A → B

問1　正解　4

「x を超えない」というのは、「x を超える」の否定、つまり「x より大きい」の否定であるから「x 以下」というようにいい換えてしまえば理解しやすい。すなわち、$[x]$ は x 以下の**最大の整数**というようにいい換えてしまうのである。

次にいくつか例を挙げて考えていくと解を求めやすい。例えば、$[4]$ は 4 以下の最大の整数であるから 4 であるし、$[4.9]$ は 4.9 以下の最大の整数であるから 4 である。また、$[5] = 5$ である。このことから考えて、$[x] = 4$ になるような x の範囲は、$4 \leq x < 5$ である。同様に、$[x] = 5$ になるような x の範囲は、$5 \leq x < 6$ である。よって、$[x] = 4$ または 5 になる x の範囲は上の 2 つを合わせて、$4 \leq x < 6$。

問2　正解　3

まず、分子をそろえる。$\dfrac{2}{7} < \dfrac{17}{\square} < \dfrac{1}{3}$ だから、2 と 17 の最小公倍数 34 にそろえる。$\dfrac{34}{119} < \dfrac{34}{2 \times \square} < \dfrac{34}{102}$ を満たす $\square$ に当てはまる整数の個数を数えればよい。

$102 < 2 \times \square < 119$、すなわち、$51 < \square < 59.5$ を満たせばよいから、52 から 59 までの 8 個。よって、8 個。

問3　正解　4

答えが同じということは、割る数が大きければ大きいほど割られる数は大きいということになる。実際、その答えを a とおくと、$A \div \dfrac{5}{3} = a$、つまり両辺に $\dfrac{5}{3}$ をかけて、$A = \dfrac{5}{3}a$。同様に $B = \dfrac{3}{2}a$、$C = 1.6a$、$D = 1.7a$ であることからも割る数が大きいほど割られる数が大きいということがわかる。$\dfrac{5}{3} = 1.66\cdots$、$\dfrac{3}{2} = 1.5$ であるから、$1.7 > \dfrac{5}{3} > 1.6 > \dfrac{3}{2}$ となり、$D > A > C > B$ である。

数的推理

問4
check✓
□□□

ある学級の生徒数は 40 人である。この学級では、教室の掃除を月曜日から金曜日までの毎日、出席番号順に 6 人の当番を決めて行っている。ある週の月曜日に出席番号 1、2、3、4、5、6 の生徒が掃除をした。次にこの同じ 6 人が教室の掃除当番になるのは、この週から何週目の何曜日なのか、次の 1 ～ 5 の中から選びなさい。ただし、土曜日、日曜日以外に休みの日はないものとして答えなさい。

1　2 週目の火曜日
2　3 週目の金曜日
3　4 週目の火曜日
4　4 週目の金曜日
5　5 週目の月曜日

問5
check✓
□□□

ある時計屋さんが、変わった時計を作った。その時計は、1 分が 75 秒、1 時間が 75 分である。この時計を正午の時報に合わせた。この時計の針が午後 3 時をさしたとき、本当の時刻を次の 1 ～ 5 の中から選びなさい。

1　午後 3 時 7 分 30 秒
2　午後 3 時 8 分 15 秒
3　午後 4 時 40 分 5 秒
4　午後 4 時 41 分 5 秒
5　午後 4 時 41 分 15 秒

問4　正解　5

　40人で6人ずつ当番が決められるわけであるから、40と6の最小公倍数120人目で当番は一巡する。つまり、120÷6＝20日間で一巡する。

　次に同じ6人が当番になるのは21日目である。21÷5＝4あまり1であるから、5週目の月曜日である。

問5　正解　5

　いわゆる75進法から60進法への変換の問題であるから、まず10進法に、つまり秒に直す。

　この時計では3時間経っているので本当の時間に直すと3（時間）×75（分／時間）×75（秒／分）＝16875（秒）。つまり、正午から16875秒後、だからこれを60進法に直すと16875÷60＝281（分）あまり15（秒）、また、281分を時間に直すと、281÷60＝4（時間）あまり41（分）。よって、正午から4時間41分15秒経っているから、午後4時41分15秒が正解である。

数的推理

問6
9進法で271と表わされる数は、5進法ではどのように表わされるか。次の1〜5の中から選びなさい。

1 1401
2 1402
3 1411
4 1412
5 1422

問7
整数aをn回かけることをa×〈n〉、また、整数bの一の位の数を‖b‖で表わすことにする。aが整数で、‖a×〈10〉‖＝9のとき、‖a‖の値として最も適切なものを次の1〜5の中から選びなさい。

1 3
2 7
3 9
4 3または7
5 3または9

問6　正解　1

　9進法から5進法への変換の問題であるから、まず10進法に直す。9進法の271は10進法に直すと、$2 \times 9^2 + 7 \times 9^1 + 1 \times 9^0 = 162 + 63 + 1 = 226$ である。これを5進法に直す。商を、商が0になるまでひたすら5で割っていく。$226 \div 5 = 45$ あまり 1、$45 \div 5 = 9$ あまり 0、$9 \div 5 = 1$ あまり 4、$1 \div 5 = 0$ あまり 1。よって、$226 = 1 \times 5^3 + 4 \times 5^2 + 0 \times 5^1 + 1 \times 5^0$ であるから5進法で表わすと1401となる。

問7　正解　4

　$\| a \times \langle 10 \rangle \| = 9$ であるということは $a \times \langle 10 \rangle$ の一の位が9であるということであり、もう少しいいかえるとaを10回かけると一の位が9になるということである。一の位が知りたいのだから、aの一の位に注目して考えればよい。aを10回かけてその一の位が9になるということは一の位が奇数でなければならない。一の位が1であるときは何回かけてもずっと1である。一の位が3のとき何回かけていくと、$3 \to 9 \to 7 \to 1 \to 3 \to 9 \to 7 \to 1 \to 3 \to 9 \to$ ……と循環して10回かけると9になるので解の1つである。一の位が5のときは $5 \to 5 \to 5 \to 5 \to$ ……と循環するので不適。7のときは $7 \to 9 \to 3 \to 1 \to 7 \to 9 \to 3 \to 1 \to 7 \to 9 \to$ ……と循環して10回かけると9になるので解の1つである。9のときは、$9 \to 1 \to 9 \to 1 \to 9 \to 1 \to$ ……と循環して10回かけると1になってしまい不適。よって、3、7が解である。

問8

整数のうちで、2でも3でも5でも割り切れないものだけを小さいほうから並べていくと、1、7、11、13、17、………となる。このような数列で、小さいほうから数えて150番目の数はいくつか。次の1〜5の中から選びなさい。

1　541
2　547
3　557
4　559
5　563

問9

3、10、17、24、31、38、45……という数列があるとき、第30項目から第40項目までの数をすべて加えるといくつになるか。次の1〜5の中から選びなさい。

1　2551
2　2634
3　2651
4　2734
5　2751

問8　正解　4

まず、2でも3でも5でも割り切れる数の最小数、つまり、最小公倍数である30に注目する。題意の数列のうち30より小さい数は「1、7、11、13、17、19、23、29」の8つである。…（※）

また、次の30個、つまり31〜60の間にも題意を満たす整数が同じように8つある。しかもその8つは30に（※）の数を加えたものになっている。

以上のことから、まず150番目の数がいくつからいくつまでの間のグループに属しているか調べる。$150 \div 8 = 18$ あまり6であるから、150番目の数は18番目のグループ、つまり、$18 \times 30 = 540$ から570の間のグループの6番目に属していることがわかる。6番目の数字は、1、7、11、13、17、19より19だから、$540 + 19 = 559$ が150番目の数である。

問9　正解　3

この数列は等差数列であるから、等差数列の和の公式

$\frac{（初項＋末項）\times（項数）}{2}$ を使えばよい。いま、求める和の初項は第30項目、末項は第40項目であるから、項数は $40 - 30 + 1 = 11$ となる。

あとは第30項目と第40項目を求めればよい。

この数列は7ずつ増えているのでこの数列の初項3から第30項目に到達するまでに、7が29回加えられることになるから、第30項目は $3 + 7 \times 29 = 206$ である。同様に、第40項目は初項に7を39回加えたものになるから、$3 + 7 \times 39 = 276$ である。よって、第30項目から第40項目までの数をすべて加えると、$\frac{(206 + 276) \times 11}{2} = 2651$ となる。

問10
check✓ □□□

$\dfrac{2}{3}$、$\dfrac{4}{5}$、$\dfrac{5}{6}$、$\dfrac{7}{10}$、$\dfrac{9}{10}$、$\dfrac{11}{15}$、$\dfrac{13}{15}$、$\dfrac{14}{15}$、$\dfrac{23}{30}$ の9個の数を使って縦、横、斜めの和が等しくなるようにマス目をうめる。$\dfrac{13}{15}$ を下の表の位置に入れるとすれば、A、Bに入る数の組み合わせは2通りあるため、A＋Bの値の可能性としては2通りある。その2通りのA＋Bの値の和はいくつか。次の1～5の中から選びなさい。

		B
$\dfrac{13}{15}$		
	A	

1 $\dfrac{10}{3}$　　**2** $\dfrac{49}{15}$　　**3** $\dfrac{16}{5}$　　**4** $\dfrac{47}{15}$　　**5** $\dfrac{46}{15}$

解答・解説

問10　正解　2

　まず、9つの数を通分してみると、問題に与えられた順に、$\dfrac{20}{30}$、$\dfrac{24}{30}$、$\dfrac{25}{30}$、$\dfrac{21}{30}$、$\dfrac{27}{30}$、$\dfrac{22}{30}$、$\dfrac{26}{30}$、$\dfrac{28}{30}$、$\dfrac{23}{30}$ となる。つまり、与えられた問題は20～28の9つの数を9つのマスにどのように埋めるかという問題にいい換えられる。この問題で考えてもよいのだが、20～28は十の位がすべて同じであるため、これらの一の位、つまり、0～8までの9つの数を9つのマスにどのように埋めるかという問題に直してから考えたほうが考えやすい。

ア	イ	B
6	ウ	エ
オ	A	カ

　3×3方陣で1行の数の和は$(0+1+2+\cdots+8)\div3=12$となる。まず、ウに入れる数字を考える。ここに0を入れるとすると、和が12になるような互いに異なる数のペアが「アとカ」、「イとA」、「B

274

とオ」、「6とエ」の4通り必要になるが、和が12になる互いに異なる数のペアは「4と8」、「5と7」の2通りしかないので0はウには入れられない。同様の理由で、1、2、3、5、7、8もウには入れられない。

　よって、ウには4が入る。すると、エは12 − (6 + 4) = 2となる。次に0の入る場所について考える。もし、Bのような角に入れてしまうと、和が12になる互いに異なる数のペアが「ア
とイ」、「ウとオ」、「エとカ」の3通り必要になるが、和が12になる互いに異なる数のペアは「4と8」、
「5と7」の2通りしかないので0は角には入れられない。よって、0はイ、または、Aの2通りの位置にしか入りえない。まず、0がイに入るときを考える。

ア	0	B
6	4	2
オ	8	カ

　この場合、アとBには5または7しか入りえない。しかも、1列の和は12なのでアは7であってはいけない。つまり、アは5、Bは7である。これですべてのマスが決まることになる。

5	0	7
6	4	2
1	8	3

　よって、AとBに入る数のペアは (A、B) = (8、7) である。
これを元の問題に直せば、(A、B) = $(\frac{28}{30}、\frac{27}{30}) = (\frac{14}{15}、\frac{9}{10})$ となり、
A + Bの値は $\frac{14}{15} + \frac{9}{10} = \frac{11}{6}$

　次に、0がAに入るとき、先ほどと同様にオは5、カは7、アは1、Bは3となる。
　よって、AとBに入る数のペアは
(A、B) = (0、3) となり、元の問題に直せば、
(A、B) = $(\frac{20}{30}、\frac{23}{30}) = (\frac{2}{3}、\frac{23}{30})$ となる。

1	8	3
6	4	2
5	0	7

A + Bの値は $\frac{2}{3} + \frac{23}{30} = \frac{43}{30}$
　したがって、2つのA + Bの和は $\frac{11}{6} + \frac{43}{30} = \frac{49}{15}$ となる。

数的推理

問11
A、B、C、D、Eの5人が算数のテストを受け、その結果、C、D、E3人の得点はそれぞれ61点、73点、82点だった。また、5人全員の平均点は73.2点であり、A、C、D、Eの4人の平均点はB、C、D、Eの4人の平均点より8.5点高かった。このとき、Aの得点は何点か、次の1〜5の中から選びなさい。

1 58点
2 64点
3 74点
4 85点
5 92点

問12
Aがすれば20日間で、Bがすれば30日間でちょうど仕上がる仕事がある。この仕事をAが1人で何日間か働いた後、Bが代わって働き、全部で28日間で仕上げた。1日にする仕事の量は変わらないものとして、Aの働いた日数を、次の1〜5の中から選びなさい。

1 3日間
2 4日間
3 5日間
4 6日間
5 7日間

問13
ある中学校の3年生に、昨日はテレビを見たか、ラジオを聴いたかという調査をしたところ、「テレビを見た」に手を上げた人が全体の65%、「ラジオを聴いた」に手を上げた人が25%だった。そのうち両方に手を上げた人が8人で、どちらにも手を上げなかった人は30人だった。この3年生全体の人数を、次の1〜5の中から選びなさい。

1 80人　**2** 220人　**3** 260人　**4** 340人　**5** 380人

問 11　正解　5

5 人全員の点を合計したものは $73.2 \times 5 = 366$ 点、C、D、E の 3 人の合計は $61 + 73 + 82 = 216$ 点であるから、A と B の合計点は $366 - 216 = 150$ 点である。

また、A、C、D、E の 4 人の平均点が B、C、D、E の 4 人の平均点より 8.5 点高くなったことから、A は B より $8.5 \times 4 = 34$ 点高いということがわかる。

したがって、A と B の得点をそれぞれ A、B とすると、$A + B = 150$、$A = B + 34$ という連立方程式を解けばよい。そうすると、A は 92 点、B は 58 点であることがわかる。

問 12　正解　2

A が 1 日にできる仕事量を a、B が 1 日にできる仕事量を b とすると、全仕事量は $20a$ であり、$30b$ であるから $20a = 30b$ が成り立つ。

ここで、A の働いた日数を x 日とすると、全仕事量は変わらないから、$ax + b(28 - x) = 20a = 30b$ が成り立つ。

次にこの連立方程式を解くと、$20a = 30b$ より、$b = \dfrac{2}{3}a$ であり、

これを $ax + b(28 - x) = 20a$ に代入すると、$ax + \dfrac{2}{3}a(28 - x) = 20a$ であるから両辺を a で割って、x について解けば $x = 4$ である。つまり、A の働いた日数は 4 日間である。

問 13　正解　2

3 年生を全部で x 人とすると、テレビを見た人は $0.65x$ 人、ラジオを聴いた人は $0.25x$ 人と表わすことができる。テレビとラジオの少なくとも 1 つを視聴した人数を求めるためにこれらを合計すると、両方視聴した 8 人分が重複するので、テレビまたはラジオ少なくとも 1 つを視聴した人は、$0.65x + 0.25x - 8$（人）である。また、どちらも視聴していない人が 30 人いることから、3 年生全員は $0.65x + 0.25x - 8 + 30$ ということになる。

一方、3 年生全員の人数を x としていたわけだから、$0.65x + 0.25x - 8 + 30 = x$ が成り立つ。これを解くと、$x = 220$ で、220 人とわかる。

A、B、Cの3人で湖を1周することにした。BはAより4分遅れて出発し、5分後にAを追い越し、CはBよりさらに8分遅れて出発し、6分後にAを追い越した。CがBを追い越すのは、Cが出発してから何分後か、次の1〜5の中から選びなさい。

1　8分後
2　10分後
3　12分後
4　14分後
5　16分後

 踏み切りの前に立っている人の前を通過するのに10秒かかる列車が、240mの鉄橋を通過するのに22秒かかる。この列車の長さを求めなさい。

1　109m
2　180m
3　200m
4　225m
5　300m

問14　正解　3

　BがAを追い越すということは、出発地点から追い越す地点まで同じ距離だけ進んでいることになる。この点に注意して式を立てる。A、B、Cそれぞれの速さをa、b、cとすると、BがAより4分遅れて出発し、Bが出発して5分後にAを追い越したということから、出発地点からBがAを追い越す地点まではBは5分間、Aは5 + 4 = 9分間かかっており、$9a = 5b$、つまり、$b = \frac{9}{5}a$ が成り立つ。

　また、CがBよりさらに8分遅れて出発し、Cが出発して6分後にAを追い越したということから、出発地点からCがAを追い越す地点までにCは6分間、Aは4 + 8 + 6 = 18分間かかっている。よって、$18a = 6c$ つまり、$c = 3a$ が成り立つ。

　ここで、Cが出発してからx分後にBに追いついたとすると、同様に考えれば、$xc = (x + 8)b$ が成り立つ。ここに、$b = \frac{9}{5}a$、$c = 3a$ を代入すれば、$3xa = \frac{9}{5}(x + 8)a$ であり、両辺をaで割って、xについて解くと、$x = 12$ なのでCが出発してから12分後にBに追いつくということになる。

問15　正解　3

　列車の長さをxmとすると、踏み切りの人の前を列車が通過するまで、つまり、列車の先端がちょうど人の前にきて列車の最後尾が人の前を通りすぎるまで、列車の先端に注目すれば列車の長さxm分だけ動いていることがわかるから、列車の速さはxm ÷ 10秒 = $\frac{x}{10}$ m/秒と表わせる。

　次に、240mの鉄橋を通過するのに列車がどれだけ進むか考える。つまり、列車の先端が鉄橋の端を通ってから列車の最後尾が鉄橋のもう一方の端を抜ける間に列車がどれだけ進むか、それは列車の先端に注目すれば240mだけではなく列車の長さ分だけ余分に走っていることがわかるので、$\frac{x}{10}$ m/秒の速さで、22秒間かかって、$(240 + x)$ m進んだということがわかるから、$\frac{x}{10} \times 22 = 240 + x$ が成り立つ。これを解けば、$x = 200$ となるから、列車の長さは200mである。

問16

何個かのおはじきがある。この中から、まず兄が全体の$\frac{2}{5}$と12個を取り、次の弟が残りの$\frac{1}{3}$より8個少なく取ったら、あとにおはじきが80個残った。最初におはじきは全部で何個あったか。次の1〜5の中から選びなさい。

1　200個
2　225個
3　250個
4　285個
5　315個

問17

歯車A、B、Cがこの順にかみ合っている。歯数はAが48枚、Bが92枚で、歯車Aを7分間に175回転するように動かしたら、歯車Cが6分間に180回転した。歯車Cの歯数は何枚か。次の1〜5の中から選びなさい。

1　36枚
2　40枚
3　46枚
4　89枚
5　90枚

問18

8人のグループがハイキングに行くため、電車に乗ったが、座席が5人分しか空いていなかった。電車に乗る時間は1時間20分で、この5人分の席に8人が交代で座り、誰もが同じ時間ずつ座るようにするには1人何分ずつ座ることになるか。次の1〜5の中から選びなさい。

1 10分　　2 16分　　3 40分　　4 50分　　5 80分

問 16　正解　1

　最初に全部で x 個あったとすると兄が取ったおはじきの個数は $\frac{2}{5}x$ $+12$（個）であるから、その後の残りは $x-(\frac{2}{5}x+12)=\frac{3}{5}x-12$（個）、

よって、弟が取った個数は $\frac{1}{3}(\frac{3}{5}x-12)-8=\frac{1}{5}x-12$（個）であるから、最後に残った個数は $x-(\frac{2}{5}x+12+\frac{1}{5}x-12)=\frac{2}{5}x$（個）である。したがって、$\frac{2}{5}x=80$ が成り立ち、これを解けば $x=200$ なので、最初に全部で 200 個あったということになる。

問 17　正解　2

　歯車というのは歯がかみ合って回転するものだから、回転数は違っても、一定時間内にかみ合った合計の歯数はどの歯車も同じである。だから、回転のために 1 分あたりかみ合った A の歯数の合計と C の歯数の合計が等しいという式を立てればよい。

　まず、1 分間あたり A、C それぞれ何回転したのか出すと、A は $175\div 7=25$ 回転、C は $180\div 6=30$ 回転である。

　よって、C の歯数を x 枚とすると、回転のために 1 分あたりかみ合った A の歯数の合計は $25\times 48=1200$ 枚、C の歯数の合計は $30\times x=30x$ 枚であるから、$30x=1200$ が成り立つ。よってこれを解けば、$x=40$ なので、C の歯数は 40 枚ということになる。

問 18　正解　4

　1 人 x 分間ずつ座れるとすると、8 人いるから延べ $8\times x=8x$ 分間座れる。一方、1 つの座席につき 1 時間 20 分 $=80$ 分座れて、5 つの座席があるわけだから、延べ $80\times 5=400$ 分間座ることができる。したがって、$8x=400$ が成り立ち、これを解けば $x=50$ であるから 1 人 50 分ずつ座れることになる。

問 19

ある仕事をするのに、それぞれ、A が 1 人で 30 日、B が 1 人で 20 日、C が 1 人で 15 日かかる。A、B の 2 人が 8 日間いっしょに仕事をしたあと、C が 1 人で残った仕事をすると C は何日で残った仕事を仕上げられるか。次の 1 〜 5 の中から選びなさい。

1 3 日
2 4 日
3 5 日
4 6 日
5 7 日

問 20

ある土地の周りに、くいを打つのに、くいとくいの間隔を、5m にして打つのと、3m にして打つのとでは、くいの数に 20 本の違いがあるという。この土地の周りの長さは何 m か。次の 1 〜 5 の中から選びなさい。

1 90m
2 120m
3 150m
4 180m
5 210m

問 21

1、14、15、28、29、42、……のように、ある決まりにしたがって小さい数から並べた整数の列がある。346、347、348、349、350 のうち、この数列に入っている数を次の 1 〜 5 の中から選びなさい。

1 346　　**2** 347　　**3** 348　　**4** 349　　**5** 350

問 19　正解　3

Cが x 日で残った仕事を仕上げるとし、全仕事量を a とすると、A、B、Cが1日あたり仕上げる仕事量はそれぞれ $\frac{a}{30}$、$\frac{a}{20}$、$\frac{a}{15}$ となる。いま、A、Bの2人が8日間仕事をし、その後Cが x 日間仕事をすると、合計では $\frac{a}{30} \times 8 + \frac{a}{20} \times 8 + \frac{a}{15} \times x$ の仕事が終わる。全仕事量は a であるから、$\frac{a}{30} \times 8 + \frac{a}{20} \times 8 + \frac{a}{15} \times x = a$ が成り立つ。この両辺を a で割って、x について解けば $x = 5$ であるから、Cは5日間で仕上げられるということになる。

問 20　正解　3

円形や多角形など、周囲がつながっているところに木を植えたり、くいを打ったりする場合、間隔の数とくいの本数は等しくなる。この土地の周りの長さを x m とおけば、5m 間隔にくいを打った場合、全部で $x \div 5 = \frac{x}{5}$ (本) 打つことになる。また、3m 間隔でくいを打った場合、全部で $x \div 3 = \frac{x}{3}$ (本) 打つことになる。この差が20本だったのであるから、$\frac{x}{3} - \frac{x}{5} = 20$ が成り立つ。したがって、これを解けば $x = 150$ となりこの土地の周囲の長さは150m ということになる。

問 21　正解　5

14、28、42をみてピンときてほしい。つまりこの数列は、14で割って1余る数、14で割り切れる数、14で割って1余る数、14で割り切れる数、……の順に並べられていることがわかるから、14で割り切れる数、または14で割って1余る数を探せばよいことになる。それは350であって、これは14で割り切れる。

問22
check✓
□□□

右の図のように、長方形 ABCD を折り返して、頂点 D が辺 BC 上の F にくるようにした。このとき、∠DAE = 30°で、AE の長さは 15cm になった。辺 AB の長さを次の 1 ～ 5 の中から選びなさい。

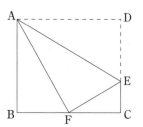

1　10.25cm
2　10.5cm
3　10.75cm
4　11cm
5　11.25cm

 問23
check✓
□□□

周りの長さが等しい長方形 A、B があり、A のたてと横の長さの比は 2：3、B のたてと横の長さの比は 7：3 である。A と B の面積の比を次の 1 ～ 5 の中から選びなさい。

1　2：7
2　7：2
3　1：2
4　7：8
5　8：7

問22　正解　5

30°、60°、90°の直角三角形の一番長い辺の長さは一番短い辺の長さの2倍であることを利用する。

題意より∠DAE＝30°なので△ADEは30°、60°、90°の直角三角形であり、一番短い辺DEは一番長い辺AEの**半分**である。よって、DE＝15÷2＝7.5cm。

また、折り返したのだから△ADEと△AFEは合同であり、∠AEF＝∠AED＝60°、FE＝DE＝7.5cm。すると、∠CEF＝180°−（60°＋60°）＝60°であるから、△CEFも30°、60°、90°の直角三角形とわかる。したがって、CEの長さはFEの半分であるから、7.5÷2＝3.75cm。求める長さAB＝DE＋CE＝7.5＋3.75＝11.25cmである。

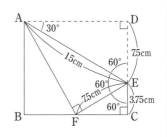

問23　正解　5

Aのたての長さを$2a$とすると、横の長さは$3a$となり周囲の長さは$2a + 3a + 2a + 3a = 10a$となる。Bのたての長さを$7b$とすると、横の長さは$3b$となり周囲の長さは$7b + 3b + 7b + 3b = 20b$となる。AとBの周りの長さが等しいので、$10a = 20b$、つまり、$a = 2b$が成り立つ。Aの面積は$2a × 3a = 6a^2$であるから、これに$a = 2b$を代入すればAの面積は$6 × 4b^2 = 24b^2$である。

一方、Bの面積は$7b × 3b = 21b^2$である。

よって、AとBの面積比は$24 : 21 = 8 : 7$である。

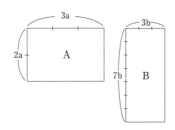

問 24
check✓
□□□

右の図のように、大きい円の中に正方形がきっちりと入り、その中に小さい円もきっちり入っているとき、大きい円と小さい円の面積の比を次の１〜５の中から選びなさい。

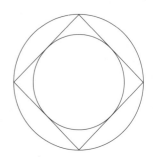

1 2：1

2 3：2

3 4：3

4 5：3

5 8：5

 問 25
check✓
□□□

右の図でP、Qは円周の部分を３等分する点で、AB＝BC＝6cmとするとき、四角形ACQPの面積はいくらか、次の１〜５の中から選びなさい。

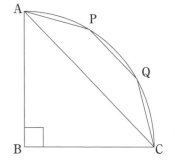

1 6cm^2

2 9cm^2

3 12cm^2

4 15cm^2

5 18cm^2

問24　正解　1

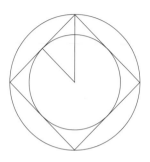

　　　図のように同心円の中心と正方形の1つ
の頂点を結ぶ線（大きい円の半径）、小さ
い円と正方形の接点と同心円の中心を結
ぶ線（小さい円の半径）を描くと、45°、45°、
90°の直角二等辺三角形ができる。また、
45°、45°、90°の直角二等辺三角形の一番
長い辺の長さはそれ以外の辺の長さの$\sqrt{2}$
倍であるから、大きい円の半径は小円の半
径の$\sqrt{2}$倍である。よって、小さい円の半
径をrとすると、大きい円の半径は$\sqrt{2}\,r$となり、円周率をπとすると、
小さい円の面積は$r \times r \times \pi = \pi r^2$、大きい円の面積は$\sqrt{2}\,r \times \sqrt{2}\,r \times \pi$
$= 2\pi r^2$であるから、大きい円と小さい円の面積の比は$2:1$である。

問25　正解　2

　四角形 ACQP ＝五角形 ABCQP －△ABC であり、五角形 ABCQP
＝△ABP ＋△PBQ ＋△QBC ＝3△ABP であるから、△ABC と△ABP
の面積を求めればよい。まず、$\triangle ABC = 6 \times 6 \times \dfrac{1}{2} = 18\text{cm}^2$ である。
次に、△ABP の面積であるが、下の図のように A から BP に垂線
AH を下ろせば P は円周を3等分する点なので、$\angle ABP = 90° \div 3 =$
30°であるから AH の長さは AB の長さ 6cm の半分、つまり、3cm

である。したがって、$\triangle ABP = BP \times AH$
$\times \dfrac{1}{2} = 6 \times 3 \times \dfrac{1}{2} = 9\text{cm}^2$ となるので、四角
形 $ACQP = 9 \times 3 - 18 = 9\text{cm}^2$ となる。

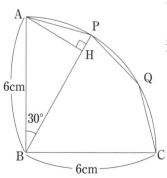

問 26

右の図で、E、F、G は BC を 4
等分した点、H、I は AD を 3
等分した点である。また、AD
と BC の長さの比は 3：5、AB
の長さは 10cm、四角形 EGIH
の面積は 70cm² である。この
とき AD の長さを次の 1 〜 5 の
中から選びなさい。

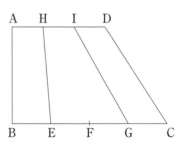

1　4cm
2　6cm
3　8cm
4　10cm
5　12cm

問 27

円柱形の容器がある。この容器の底面に対して垂直に仕切りを
し、仕切りで分けられた 2 つの部分に同じ量の水を入れたところ、
水面の高さがそれぞれ 4cm、6cm になった。その後、容器から
仕切りをとると、水面の高さは何 cm になるか。次の 1 〜 5 の
中から選びなさい。ただし、仕切りの厚さは考えないものとする。

1　2.4cm
2　3.6cm
3　4.8cm
4　5cm
5　6cm

問 28
check✓
□□□

袋の中に赤玉が 4 つ、白玉が 6 つ入っている。この袋から 2 つ
の玉を取り出すとき、少なくとも 1 つ赤玉が出る確率を次の 1
〜 5 の中から選びなさい。

1 $\dfrac{1}{3}$　　**2** $\dfrac{2}{3}$　　**3** $\dfrac{4}{15}$　　**4** $\dfrac{8}{15}$　　**5** $\dfrac{11}{15}$

問26　正解　5

AD $= 3a$cm とおくと、与えられた比から BC $= 5a$cm となる。したがって、HI $= \frac{1}{3}$ AD $= \frac{1}{3} \times 3a = a$cm、EG $= \frac{1}{2}$ BC $= \frac{1}{2} \times 5a = \frac{5}{2}a$cm である。四角形 EGIH は台形であるから、面積を求める公式より、$(a + \frac{5}{2} a) \times 10 \times \frac{1}{2} = 70$ が成り立ち、これを解くと、$a = 4$ となるので、AD $= 3 \times 4 = 12$cm である。

問27　正解　3

仕切りで分けられた 2 つの部分に入れた水の量をそれぞれ $a$cm^3 とすると、水面の高さが 4cm になった部分の底面積は $a \div 4 = \frac{a}{4}$ cm^2、6cm になった部分の底面積は $a \div 6 = \frac{a}{6}$ cm^2 であるから、仕切りをはずした後の円柱全体の底面積は $\frac{a}{4} + \frac{a}{6} = \frac{5}{12}a$cm^2 となる。よって、求める水面の高さは $2a \div \frac{5}{12}a = \frac{24}{5} = 4.8$cm である。

問28　正解　2

「少なくとも 1 つ赤玉が出る確率」＝「全確率」－「1 つも赤玉が出ない確率」＝ 1 －「2 つとも白玉が出る確率」であるから、「2 つとも白玉が出る確率」を求めればよい。まず、合計 10 個の玉の中から 2 つ取り出すのであるから、全場合の数は $_{10}C_2 = 45$ 通り、そのうち 2 つとも白玉であるのは、白玉 6 つのなかから 2 つ取り出すと考えればよいから、$_6C_2 = 15$ 通り。よって、「2 つとも白玉が出る確率」は $\frac{15}{45} = \frac{1}{3}$ であるから、「少なくとも 1 つ赤玉が出る確率」は $1 - \frac{1}{3} = \frac{2}{3}$ である。

数的推理

問 29
check✓
□□□

右の図のように、平行四辺形ABCD があり、AD を 1：2 に内分する点を E、AC と BE の交点を F とする。このときの、△ ABF と四角形 CDEF の面積比を次の 1 〜 5 の中から選びなさい。

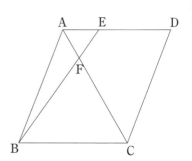

1 1：4
2 2：9
3 3：11
4 4：15
5 5：18

問 30
check✓
□□□

下の図のように、円 A と円 B は互いに外接していて、それぞれが半直線 OX、OY に接している。点 O と円 A の中心の距離が 9cm、円 A の半径が 3cm であるとき円 B の半径を次の 1 〜 5 の中から選びなさい。

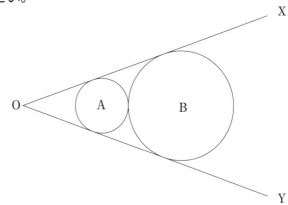

1 4.5cm
2 5cm
3 5.5cm
4 6cm
5 6.5cm

問29　正解　3

　ADを1:2に内分する点をEとするということは、AEを1とすると、ADは3となり、その対辺であるBCも3となる。また、△AEF ∽ △CBFであるから、EF:BF = 1:3である。よって、△AEFの面積を a とおくと、△AEF:△ABF = EF:BF = 1:3であるから、△ABF = $3a$。次にEとCを結ぶ。同様に、△AEF:△CEF = AF:CF = 1:3であるから、△CEF = $3a$。したがって、△ACE = △AEF + △CEF = $a + 3a = 4a$ であり、△ACE:△DCE = AE:DE = 1:2 より△DCE = $4a$ × 2 = $8a$ であるから、四角形CDEF = △CEF + △DCE = $3a + 8a = 11a$ となり、△ABF:四角形CDEF = $3a:11a$ = 3:11 になる。

問30　正解　4

　下の図のように、円Aの中心をE、Eから半直線OXに下ろした垂線と半直線OXの交点をFとし、円Bの中心をG、Gから半直線OXに下ろした垂線と半直線OXの交点をHとすると、△OEF ∽ △OGHであるから、対応する辺の比は等しいので、OE:OG = EF:GHが成り立つ。つまり、円Bの半径であるGHを x とおけば、OG = OE + EG = 9 + (3 + x) = 12 + x であるから、9:(12 + x) = 3:x が成り立つ。

　これを解けば、x = 6 であるから、円Bの半径は6cmである。

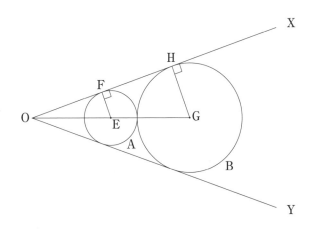

判断推理

問1
check✓
□□□

A、B、C、D、Eの5つの数がある。それらは、1、2、3、4、5のいずれかで、AとBを比べるとAの方が大きく、CとDとではDの方が大きい。BはDとEを合わせた数に等しい。それぞれの数の組み合わせとして正しいものを次の1〜5の中から選びなさい。

1　Aは5、Bは4、Cは3、Dは2、Eは1
2　Aは5、Bは3、Cは4、Dは2、Eは1
3　Aは5、Bは4、Cは1、Dは3、Eは2
4　Aは5、Bは4、Cは2、Dは3、Eは1
5　Aは5、Bは4、Cは2、Dは1、Eは3

問2
check✓
□□□

A、B、C、D、E、Fの6人の生徒がいる。この6人の身長がア〜ケの9つの条件を満たすとき、6人を背の大きい順に左から並べたものを次の1〜5の中から選びなさい。
ア：AはBより背が高い
イ：CはDより背が低い
ウ：EはFより背が高い
エ：DはAより背が低い
オ：BはCより背が高い
カ：AはFより背が低い
キ：AとBの差は1.5cm
ク：BとCの差は1.5cm
ケ：DとCの差は2cm

1　E → F → A → B → D → C
2　E → F → A → D → B → C
3　E → F → B → A → D → C
4　E → F → B → D → A → C
5　E → F → D → B → A → C

問1　正解　4

　BはDとEを合わせた数に等しいということは、B = D + E＞D、かつ、B = D + E＞EだからBはDよりもEよりも大きい。またその他の条件を合わせるとAは1番大きい。Bは2番目に大きいということがわかるから、Aは5、Bは4である。DとEを合わせるとBになるのだからDとEの数のペアは1と3である。また、DはCより大きいのだから、Dが1だとするとそれに矛盾する。よって、Dは3、Eは1、Cは2である。

問2　正解　2

　ア～カの条件を不等式を使って表わすと次のようになり、それをまとめると、E → F → A →（B → D、またはD → B）→ Cであることがわかるから、あとはBとDの順序を求めればよい。一番背の低いCはBとの差が1.5cm、Dとの差が2cmであることから、BよりもDの背のほうが高いことがわかり、E → F → A → D → B → Cとなる。

$$
\begin{array}{c}
高 \quad 低 \\
A > B \\
D > C \\
E > F \\
A > D \\
B > C \\
F > A
\end{array}
\left.\vphantom{\begin{array}{c}A\\D\\E\\A\\B\\F\end{array}}\right\}
\begin{array}{c}
\overset{\displaystyle 2\text{cm}}{\overbrace{}} \\
E > F > A > D > C \\
\qquad\qquad > B > C \\
\underset{\displaystyle 1.5\text{cm}}{\underbrace{}}
\end{array}
$$

判断推理

問3

A、B、C、D、Eの5つのグループに分かれて、ムカデ競争をした。そのときの順位について聞いてみたら、次のような答えがあった。A、B、Cは正しく答えたが、D、Eはうそを答えた。同時に着いたグループはないものとして、1位から順に並べたものを次の1〜5の中から選びなさい。

A：「私たちより速いグループが3つあった。」
B：「私たちはAグループには勝った。」
C：「私たちは1位でも3位でもなかった。」
D：「私たちは奇数番目にゴールに着いた。」
E：「私たちは1位であった。」

1 B → C → E → A → D
2 B → D → E → A → C
3 B → C → D → A → E
4 E → B → D → A → C
5 E → C → B → A → D

問4

甲、乙2つの村が3人ずつ選手を出して相撲の対抗試合をした。総当たり戦で9試合行い、引き分けはなかった。甲村の選手をA、B、C、乙村の選手をP、Q、Rとする。すると、AはBに勝った乙村の選手全員に勝った。BはCに勝った乙村の選手全員に勝った。CはAに勝った乙村の選手全員に勝った。また、AはQに勝ち、RはBに勝った。そして、3勝した選手は1人もいなかった。Cは誰に勝ったのか、次の1〜5の中から選びなさい。

1 Pのみ
2 Qのみ
3 Rのみ
4 PとQ
5 PとR

問3　正解　2

　まず、正しいことを答えているグループの発言を追っていく。A
より速いグループが3つあるということは、Aは4位で決定である。
　また、BはAには勝ったということはBは1位、2位、3位のいず
れかである。そして、Cは1位でも3位でもなかったということは、
2位か5位のいずれかである。次に、うそを答えたグループの発言を
追っていく。Dは奇数番目にゴールについたというのがうそであれ
ばDは2位で決定である。Eは1位であったというのがうそであれ
ば、2位か3位か5位のいずれかである。以上よりまず、Bが1位
で決定である。そうすると、Eは3位、Cは5位と決定する。よって、
B→D→E→A→Cである。

問4　正解　5

　まず、AがQに勝ち、RはBに勝ったということ
は甲村から見た対戦表は右の表アのようになる。
次にAはBに勝った乙村の選手全員に勝ったという
ことから、表イのようになり、さらに3勝した選手は
いなかったということから表ウのようになる。
　また、CはAに勝った乙村の選手全員に勝ったと
あるから、表エのようになる。BはCに勝った乙村
の選手全員に勝ったとあるから、もしCがRに負け
ていたとすると、BがRに負けたという条件に矛盾
するのでCはRに勝ったことになる。同様にAはB
に勝った乙村の選手全員に勝ったとあるから、もしB
がPに負けていたとすると、AがPに負けたことが
条件に矛盾するのでBはPに勝ったことになり、表
オのようになる。さらに、3勝した選手は1人もいな
かったのだから表カのようになる。この時点で、Cは
PとRに勝ったことがわかる。表をすべて完成させ
ると表キのようになり、**5** が正解とわかる。

表ア

	P	Q	R
A		○	
B			×
C			

表イ

	P	Q	R
A		○	○
B			
C			

表ウ

	P	Q	R
A	×	○	○
B			×
C			

表エ

	P	Q	R
A	×	○	○
B			×
C	○		

表オ

	P	Q	R
A	×	○	○
B	○		×
C	○		

表カ

	P	Q	R
A	×	○	○
B	○		×
C	○	×	

表キ

	P	Q	R
A	×	○	○
B	○	○	×
C	○	×	○

問5
check☑
□□□

10人の子どもたちが小さな池で釣り大会を行うことにした。池の中には102匹の魚が入っていて、釣れた魚が多いものから順位を決定し、同数の場合はじゃんけんで順位を決定することにした。必ず3位以内に入るためには、何匹以上釣ればよいか。次の1〜5の中から選びなさい。

1 10匹 **2** 11匹 **3** 25匹 **4** 26匹 **5** 52匹

問6
check☑
□□□

赤い帽子3個と白い帽子2個がある。司会者とA、B、Cの4人はこのことを知っている。いま、司会者がこの5つの帽子から、3人にはわからないように3つ選ぶ。この選んだ3つを3人には目隠しをして、帽子をかぶせる。かぶせてから、目隠しをとる。3人とも他の2人の帽子は見えるが、自分の帽子は見えない。これを3回行った。以下の会話をもとにして、1回目、2回目、3回目のCの帽子の色の組合わせを次の1〜5の中から選びなさい。

＜1回目＞司会者：「A君、君の帽子の色は何色ですか。」
　　　　　　A：「はい、赤です。」
＜2回目＞司会者：「A君、君の帽子の色は何色ですか。」
　　　　　　A：「わかりません。」
　　　　司会者：「では、B君、君の帽子の色は何色ですか。」
　　　　　　B：「はい、A君の返事を聞いてわかりました。」
＜3回目＞司会者：「A君、君の帽子の色は何色ですか。」
　　　　　　A：「わかりません。」
　　　　司会者：「では、B君、君の帽子の色は何色ですか。」
　　　　　　B：「わかりません。」

1 1回目・赤、2回目・赤、3回目・白
2 1回目・赤、2回目・白、3回目・赤
3 1回目・赤、2回目・白、3回目・白
4 1回目・白、2回目・赤、3回目・白
5 1回目・白、2回目・白、3回目・赤

問5　正解　4

　102匹全部を上位4人が釣ったときでも、4位にならないだけの匹数を釣ればよい。$102 \div 4 = 25$ あまり2。よって、25匹だと4位になるおそれがある。$25 + 1 = 26$ 匹を釣れば確実に3位以内に入ることができる。

問6　正解　5

　1人が他の2人の帽子の色を見て、赤赤、赤白、のときは自分の帽子の色は確定できない。しかし、白の帽子は2つしかないのだから、他の2人の帽子の色が白白のとき、自分は赤の帽子をかぶっていると確定できる。

　1回目の会話のやり取りからAは「赤です」と答えていることから他の2人は2人とも白の帽子をかぶっていたことがわかるので、1回目のCの帽子の色は白である。

　次に、2回目の会話のやり取りからAが「わかりません」と答えていることから、他の2人の帽子の組合わせは（B、C）=（赤、赤）、（赤、白）、（白、赤）のどれかである。Bから見てCが赤だとすると自分の帽子の色はわからない。なぜなら、Bから見てAが赤だとしても自分は白の可能性も赤の可能性もあるし、Bから見てAが白だとしても、自分は白の可能性も赤の可能性もある。しかし、実際Aの発言でわかったのだから、Cは白の帽子をかぶっているということがわかる。よって2回目のCの帽子の色は白ということになる。

　最後に、3回目はBはAの発言を聞いてもわからなかったわけだから、前述のとおりCは赤の帽子をかぶっていたことになる。よって、1回目・白、2回目・白、3回目・赤、ということがわかる。

問7
check✓
□□□

A、B、C、D、E、F、G、Hの8人が図のような円形のテーブルに向かい、ア～クまでの席について食事をした。その席順について、各人の発言は次のようであった。

A：「私はアの席に座り、Gは自分の隣にいなかった。」

B：「Aの左隣ではなく、また正面でもなかった。」

C：「Aの正面ではなかった。」

D：「Fの正面の席だった。」

E：「Dの隣の席だった。」

F：「Aの右隣の席だった。」

G：「Dの隣ではなかった。」

H：「Fの隣であった。」

これらの発言をすべて正しいとして、8人の席順をア～クまで順に並べたものとして正しいものを、次の1～5の中から選びなさい。ただし、左隣とは図の時計回りの方向である。

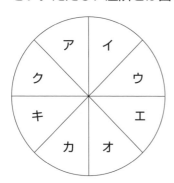

1　A → C → G → D → E → B → H → F

2　A → C → E → D → B → G → H → F

3　A → C → B → D → E → G → H → F

4　A → E → B → D → C → G → H → F

5　A → E → C → D → B → G → H → F

問7　正解　3

　まずAの発言から、Aが**ア**に座っていることは明らか。次にFの発言より、Fは**ク**に座っている。DはFの正面だから、Dは**エ**に座っている。HはFの隣だから、Hは**キ**に座っている。Aの発言とGの発言を考慮すればGは**イ**にも、**ウ**や**オ**にも座っていないことがわかり、Gは**カ**に座っていると決まる。Bの発言から、Bは**イ**にも**オ**にも座っていないことがわかる。よってBは**ウ**に座っていることがわかる。最後に、Cの発言からCが座っているのは**オ**ではないからCは**イ**に座っていることになる。そうすると、オに座っているのはEということになる。よって答えは、**A→C→B→D→E→G→H→F**である。

問8

「面白い人は頭の回転が速い」が真であるとすると、次のA、B、Cのうち常に正しいといえるのはどれか。次の1〜5の中から選びなさい。
A：面白い人と頭の回転が速い人は一致している
B：頭の回転が速い人は面白い人である
C：面白くない人は頭の回転が速くない人である

1　Aのみ
2　AとB
3　AとC
4　BとC
5　いずれも正しくない

問9

「先生は忙しい」「先生でない人は荷物を持っていない」「のぶひと君は生徒である」以上のことが正しいとすると次のうち確実にいえることはどれか。次の1〜5の中から選びなさい。
A：のぶひと君は忙しくない
B：のぶひと君は荷物を持っていない
C：忙しい人は荷物を持っている

1　Aのみ
2　Bのみ
3　Cのみ
4　AとB
5　AとC

問8　正解　5

　一般に、命題「$A \Rightarrow B$」に対して、「$\overline{A} \Rightarrow \overline{B}$」を裏、「$B \Rightarrow A$」を逆、「$\overline{B} \Rightarrow \overline{A}$」を対偶といい、命題が真のときに常に正しいのは**対偶**である。（ただし、$\overline{A}$ は A の否定を表わす記号である。）以上がこの問題を解く上で必要な基本的な考え方である。この問題の場合は、「面白い⇒頭の回転が速い」が命題である。A は「面白い⇔頭の回転が速い」ということであるから、「頭の回転が速い⇒面白い」も成立していないといけないのだが、これは命題の逆で必ずしも成り立たない。B は同様の理由で**不適**。C は「面白くない⇒頭の回転が速くない」ということであるから、これは命題の裏であるから必ずしも成り立たない。よって、いずれも**正しくない**。

問9　正解　2

　それぞれの命題の対偶は「忙しくない人は先生でない」「荷物を持っている人は先生である」「生徒でない人はのぶひと君でない」であるから、これらのことも正しいとして議論してよいということになる。「先生は忙しい」「荷物を持っている人は先生である」ということから以下のような包含関係が成り立つ。

　「のぶひと君は生徒である」ということから「先生」の集合の外にいるので荷物は持っていない。よって、**B**は正しい。一方、**A**や**C**は図より反例が挙がるので確実に正しいとはいえない。

問　題

問10
check✓
□□□

「大きくないみかんはおいしい」「おいしくないみかんは皮がかたい」「青いみかんはおいしくない」以上のことが正しいとすると、次のうちで確実にいえることはどれか。次の1～5の中から選びなさい。

A：青いみかんは皮がかたい
B：皮がかたいみかんは大きい
C：大きくないみかんは青くない

1 A　　**2** B　　**3** C　　**4** AとB　　**5** AとC

問11
check✓
□□□

「参考書はためになる」「小説は面白い」「面白くない本はためにならない」以上のことが正しければ、確実にいえることはどれか。

A：面白い本はためになる
B：参考書は面白い
C：小説はためになる

1 A　　**2** B　　**3** C　　**4** AとB　　**5** BとC

問12
check✓
□□□

「ともみさんは美しい」「まきこさんは元気である」「元気でない人は美しくない」以上のことが正しければ、確実にいえることはどれか。次の1～5の中から選びなさい。

A：ともみさんは元気である
B：まきこさんは美しい
C：美しくない人は元気がない

1 A　　**2** B　　**3** C　　**4** AとB　　**5** AとC

問10　正解　5

それぞれの命題の対偶は「おいしくないみかんは大きい」「皮がかたくないみかんはおいしい」「おいしいみかんは青くない」であるから、これらのことも正しいとして議論してよいことになる。「大きくないみかんはおいしい」「皮がかたくないみかんはおいしい」「おいしいみかんは青くない」ということから、次の図のような包含関係が成り立つ。

まずAであるが、青いみかんは「青くないみかん」の集合の外にあるから、「皮がかたくないみかん」の集合の外にもある。つまり「皮がかたいみかん」の集合の中にある。よって、Aは正しい。次にCであるが「大きくないみかん」の集合は「青くないみかん」の集合の中に入っているので、Cは正しいといえる。Bは図から反例が挙がるので、確実にはいえない。よって、AとCが正しい。

問11　正解　2

与えられた命題「面白くない本はためにならない」の対偶「ためになる本は面白い」も成り立つから次の図のような包含関係が成り立つ。

まずBについてだが、「参考書はためになる」のだから図より「面白い本」の集合にも入っているので、Bは正しい。AとCについては図より反例が挙がるので確実にはいえない。よって、Bのみが正しい。

問12　正解　1

与えられた命題「元気でない人は美しくない」の対偶「美しい人は元気である」も成り立つことから次の図のような包含関係が成り立つ。

まずAであるが、「ともみさんは美しい」ので図より「元気である人」の集合にも入っているからAは正しい。BとCは上の図を見れば明らかに反例が挙がるので確実にはいえない。よって、Aのみが正しい。

判断推理

問 13
check✓
□□□

A、B、C、D、Eの5つの数がア～オの5つの条件を満たしているとき、A、B、C、D、Eを大きい順に並べたものとして正しいものを次の1～5の中から選びなさい。

ア：AからEは1から9までの整数ですべて異なる。
イ：Aは奇数で、Cより大きく、Dより小さい。
ウ：Eは奇数でDの半分。
エ：BはEの3倍。
オ：Cは偶数で、ある数を2回かけたもの。

1　B → D → A → C → E
2　B → D → A → E → C
3　B → D → E → A → C
4　D → B → A → C → E
5　D → B → A → E → C

問 14
check✓
□□□

上りのエレベーターが1階から10人の男女を乗せて2階へ上がった。2階では男の人の半分と女の人が3人おりてから、男女合わせて7人が乗ったため、エレベータの中は、男の人が7人、女の人が4人になった。初めの10人のうち、女の人は何人いたか。次の1～5の中から選びなさい。

1　3人
2　4人
3　5人
4　6人
5　7人

問13　正解　1

　Cは偶数で、ある数を2回かけたものとあるが、1から9までの数のうちある数を2回かけた数というのは1、4、9の3つしかない。この中で偶数であるものは4のみなので、Cは4であることがわかる。また、EはDの半分ということは、$E = \frac{1}{2}D$、つまり$D = 2E$であり、BはEの3倍であるということから、$B = 3E$である。つまり、Bの方がDより大きいことがわかる。よって、条件イと合わせるとB＞D＞A＞Cということがわかる。

　あとはEがこの大小関係においてどこに入り込むかが焦点となる。BはEの3倍であるということは、Bは3の倍数であるということがわかり、Cが4であることからBは3ではもちろんだめで、6だとしてもAとDのとるべき数字がなくなってしまうのでBは9であることがわかる。すると、条件エよりEは3であり、条件ウよりDは6であることがわかる。残るAは4であるCと6であるDに挟まれているのだから5ということになる。よって、大きい順に並べるとB＝9→D＝6→A＝5→C＝4→E＝3となる。

問14　正解　2

　初めの10人のうち男子x人、女子y人とすると、$x + y = 10$が成り立つ。2階での乗降（男の人半分と女の人3人が降りて、男女合計7人が乗った）によって10人だった合計人数が11人になっていることから、次の式が成り立つ。

$$\frac{1}{2}x + (y - 3) + 7 = 11$$

　以上の2つの連立方程式を解けば$x = 6$、$y = 4$だから、初めの10人のうち女の人は4人いたことがわかる。

問 15
check✓
□□□

A、B、C、Dの４人がゲームをした。このゲームでの得点について、A、B、Cは次のようにいった。

A：「ぼくの得点は、B君とC君の得点の平均と同じだよ。」

B：「ぼくとC君の得点の差は、A君とD君の得点の差と同じだよ。」

C：「２人ずつの得点を加えると、B君とD君のときの和が一番少ないね。」

この会話から、４人を得点の多い順に並べたものとして正しいものを次の１〜５の中から選びなさい。

1　C → A → B → D
2　C → A → D → B
3　A → C → B → D
4　A → C → D → B
5　B → A → C → D

問 16
check✓
□□□

あるグループでA、B、C、Dの４人の中から委員を２人選ぶ選挙をした。投票用紙には２人の名前を書くことにして投票した結果、「AとB」と書いてある用紙が４枚、「AとC」と書いてある用紙が９枚あり、「AとD」と書いてある用紙が10枚、「BとC」と書いてある用紙が12枚、「BとD」と書いてある用紙が全体の$\frac{1}{6}$、「CとD」と書いてある用紙が全体の$\frac{1}{4}$であった。票の多い２人を委員に選ぶとすると、選ばれたのは誰と誰か。正しい組み合わせを次の１〜５の中から選びなさい。

1　AとB
2　AとC
3　BとC
4　BとD
5　CとD

問15　正解　1

　Aの得点がBとCの平均に等しいことからAの順位はBとCにはさまれている。また、2人ずつの得点を加えるとBとDの和が一番少ないことから、BとDは最下位の2人である。この時点でC→A→B→DまたはC→A→D→Bのどちらかであることがわかる。次にBとCの得点差がAとDの得点差に等しいことから、順位はC→A→B→Dであるとわかる。

問16　正解　5

　「BとD」、「CとD」と書いてある用紙以外の用紙の枚数は合計すると、$4 + 9 + 10 + 12 = 35$ 枚ある。また、「BとD」が全体の $\frac{1}{6}$、「CとD」が全体の $\frac{1}{4}$ なので、「BとD」、「CとD」と書いてある用紙以外の用紙の全体に対する割合は $1 - \left(\frac{1}{6} + \frac{1}{4} \right) = \frac{7}{12}$ である。よって、投票用紙の全体の枚数を x とすると、全体の $\frac{7}{12}$ が35枚であることから、$x \times \frac{7}{12} = 35$ が成り立ち、$x = 35 \times \frac{12}{7} = 60$ である。つまり、投票用紙は全体で60枚あったことになる。

　したがって、「BとD」は $60 \times \frac{1}{6} = 10$ 枚、「CとD」は $60 \times \frac{1}{4} = 15$ 枚である。ここでそれぞれの得票数を合計すると、

Aは $4 + 9 + 10 = 23$ 票
Bは $4 + 12 + 10 = 26$ 票
Cは $9 + 12 + 15 = 36$ 票
Dは $10 + 10 + 15 = 35$ 票

　よって、CとDが当選する。

判断推理

問17
check✓
☐☐☐

A、B、Cの3人が競争した後、3人に順位についてたずねてみると次のように答えた。

A：「わたしは1位だった。」
B：「ぼくは2位だった。」
C：「ぼくは1位ではなかった。」

この3人のうち、1人だけうそをいっているとすると、3人の正しい順位はどうなるか。1位から順に左から並べたものとして正しいものを次の1〜5の中から選びなさい。

1　A → B → C
2　A → C → B
3　B → A → C
4　B → C → A
5　C → A → B

問18
check✓
☐☐☐

A、B、Cの3人が100m競走をした。そして、順位について3人は次のようにいった。

A：「ぼくは1位ではなかった。」
B：「ぼくは1位だった。」
C：「ぼくは2位だった。」

この3人のうち1人だけうそをいっているとすると、正しい順位はどうなるか。1位から順に左から並べた場合に正しいものを次の1〜5の中から選びなさい。

1　A → B → C
2　A → C → B
3　B → A → C
4　B → C → A
5　C → A → B

問 17　正解　2

　まず、うそをついている1人を見つけ出さなければならない。これは、順番にうそをついていると仮定して順位を考えていけばわかる。

　まず、Aがうそをついているとすると、Aは1位ではなかった、Bは2位だった、Cが1位ではなかったということになる。これでは、1位がいなくなってしまい矛盾してしまう。

　次にCがうそをついていると仮定すると、Aは1位、Bは2位、Cは1位ということになり、1位が2人出てきてしまうので矛盾する。

　よって、Bがうそをついていることがわかった。つまり、Aは1位、Bは2位ではない、Cは1位でない。以上を総合すると、1位A、2位C、3位Bであることがわかる。

問 18　正解　3

　問17と同様にA、B、Cのそれぞれがうそをついていると仮定して、矛盾しない人を探し出す。まず、Aがうそをついているとすると、Aは1位だったことになる。これは、Bが1位であったというBの発言と矛盾する。

　次に、Bがうそをついているとすると、Bは2位または3位となるが、これもCが2位であったという発言と矛盾する。
では、Cがうそをついていたとすると、Cは1位か3位となるが、Bが1位といっているのでCは3位である。そして、Aが2位となり、Aが1位ではないという発言とも矛盾せずに成立する。よって、1位B、2位A、3位Cということになる。

問19
check✓
□□□
A、B、C、Dの4人が競走をして、その結果を5人の観客が次のように答えた。

観客1：「Aは3位であった。」
観客2：「Bは1位でなかった。」
観客3：「Cは3位か4位のどちらかであった。」
観客4：「Dは1位か4位のどちらかであった。」
観客5：「Aは2位でなく、Cは3位でなく、Dは4位でなかった。」
観客5人がともに正しく答えていたとするとき、4人の正しい順位を次の1〜5の中から選びなさい。

1　B → C → A → D
2　B → D → A → C
3　C → B → A → D
4　C → D → A → B
5　D → B → A → C

問20
check✓
□□□
問19で、観客5人のうち1人だけ間違えたことを答えていたとするとき、4人の正しい順位を次の1〜5の中から選びなさい。

1　D → B → A → C
2　B → D → A → C
3　D → C → A → B
4　C → D → A → B
5　B → A → C → D

問 19　正解　5

　まず観客1の発言より、Aは3位である。さらに観客3の発言より、Cは3位か4位だが、3位はAとわかったのでCは4位である。同様に観客4の発言より、Dは1位とわかる。そして残るBは2位である。

	1	2	3	4
A	−	−	○	−
B	−	○		
C				○
D	○			

問 20　正解　3

　本問も問17のように観客1、観客2、観客3、観客4、観客5のうちの1人が間違えて答えたと順番に仮定して、矛盾のない場合について考えればよい。

　まず、観客1の発言が間違いとして表にしていくと、表アのようになる。Cは4位、Dは1位に決まる。しかしAは1位か4位のどちらかになり、どちらにしてもCまたはDと重なるので矛盾する。

　観客2の発言が間違いとすると、表イのようになり、1位にBとDが重なるので矛盾する。

　観客3の発言が間違いとすると、表ウのようになり、矛盾が生じない。

　観客4の発言が間違いとすると、表エのようにAが3位、Cは4位に決まるが、2位にBとDが重なるので矛盾する。

　観客5の発言が間違いとすると、表オのように順位が決まる。しかしこれは、正しいことをいっている観客1の「Aは3位であった」という発言に矛盾してしまう。

　よって、矛盾が起きないのは観客3が間違えているという仮定だけで、その場合の順位は、表より、1位—D、2位—C、3位—A、4位—Bということになる。

表ア

	1	2	3	4
A	○	×	×	○
B	×			
C	×	×	×	○
D	○	×	×	×

表イ

	1	2	3	4
A	×	×	×	×
B	○	×	×	
C	×	×	×	×
D	○	×	×	×

表ウ

	1	2	3	4
A	×	×	○	×
B	×	×	×	
C	×	○	×	×
D	○	×	×	×

表エ

	1	2	3	4
A	×	×	○	×
B	×	○	×	○
C	×	×	×	○
D	×	○	×	×

表オ

	1	2	3	4
A		○		
B	○			
C			○	
D				○

判断推理

問21
check☑
☐☐☐

横１列に並べた黒と白の碁石について、次のことがわかっている。

ア：両端は白で、向かって右から５個目も白である。
イ：向かって右から６個目は黒で、２つおいて次の２つも黒でその 次は左端である。
ウ：向かって左から６個目は黒で、次の黒は２つおいて初めて出てくる。
エ：向かって左から３個目は黒で、次の黒は２つおいて初めて出てくる。

このとき、碁石は全部で何個あるか。次の１～５の中から選びなさい。

1 ９個　　**2** 10個　　**3** 11個　　**4** 12個　　**5** 13個

問22
check☑
☐☐☐

問21で黒か白かはっきりしない碁石は何個あるか。次の１～５の中から選びなさい。

1 １個　　**2** ２個　　**3** ３個　　**4** ４個　　**5** ５個

問23
check☑
☐☐☐

A、B、C、D、Eの５人がそれぞれ1500m走を走って記録をとった。下の表は、２人ずつの記録を比べ、勝ち負けを表わしたものである。記録の一番よかった人と悪かった人の組み合わせとして正しいものを次の１～５の中から選びなさい。

勝ち	B	D	A	E	A
負け	A	C	E	C	D

1 一番よい人・A、一番悪い人・D
2 一番よい人・A、一番悪い人・C
3 一番よい人・B、一番悪い人・C
4 一番よい人・B、一番悪い人・D
5 一番よい人・B、一番悪い人・E

問21　正解　3

　条件イから、6 + 2 + 2 + 1 = 11 個である。

11	10	9	8	7	6	5	4	3	2	1
	●	●			●					

問22　正解　1

　問21 より 11 個の碁石があることがわかっているのであとは条件を順番に埋めていけばよい。まず、条件イの図に条件アを描き加える。

　条件ウより

　条件エより

　以上より、白か黒かはっきりしないのは1つである。

問23　正解　3

　BとAではBが速く、AとEではAが速く、EとCではEが速いことから、B＞A＞E＞Cの順番は確定する。あとはDであるが、DはCよりも速いことから、一番悪い記録はC。また、DはAよりも遅いことから、一番よい記録はBということになる。

判断推理

問24
check☑
□□□

A、B、C、D、E、F、Gの7人の身長を2人ずつ調べたところ、下の表のようになった。この7人のうち、一番身長が高い人と、低い人の組み合わせとして正しいものを次の1〜5の中から選びなさい。

背が高い人	A	C	B	F	B	E	G	B
背が低い人	B	D	E	C	G	C	C	F

1　一番背が高い人・A、一番背が低い人・C
2　一番背が高い人・A、一番背が低い人・D
3　一番背が高い人・A、一番背が低い人・E
4　一番背が高い人・A、一番背が低い人・F
5　一番背が高い人・A、一番背が低い人・G

問25
check☑
□□□

5人の子どもA、B、C、D、Eについてア〜カの6つのことがわかっている。このとき、男の子のグループと女の子のグループとして正しいものを次の1〜5の中から選びなさい。
ア：男の子は女の子より必ず背が高い。
イ：CはBより背が高い。
ウ：DはCより背が高い。
エ：EはCより背が高い。
オ：EとAは異性である。
カ：A、B、C、Eのうち、2人は男の子、2人は女の子である。

1　男の子：A、C、D　　　女の子：B、E
2　男の子：A、D　　　　女の子：B、C、E
3　男の子：C、D、E　　　女の子：A、B
4　男の子：C、D　　　　女の子：E、A、B
5　男の子：D、E　　　　女の子：A、B、C

問24　正解　2

　表より、AとB、BとE、EとC、CとDを比べた結果は、
A＞B＞E＞C＞Dであることがわかる。

　あとは、F、Gの位置であるが、BとF、FとCを比べた結果から
FはBとCの間、BとG、GとCを比べた結果からGはBとCの間
にいることがわかるので、一番背が高いのはAで、一番背が低いの
はDであることがわかる。

問25　正解　3

　条件カより、男の子も女の子も多くて3人であることがわかり、条
件イ、条件ウ、条件エよりBはC、D、Eのどの人よりも背が低いこ
とがわかるので、Bが男の子だとすると条件アに矛盾してしまうので
Bは女の子である。

　また、条件オと条件カよりAとEのどちらかは男の子で、どちら
かは女の子であるから、BとCもどちらかは男の子で、どちらかは
女の子である。ここで、Bが女の子なので、Cは男の子である。よっ
て、Cより背の高いDとEは条件アより男の子である。

　したがって、条件オよりAは女の子であるから、男の子のグルー
プはC、D、Eで女の子のグループはA、Bである。

判断推理

問26
check✓
□□□
A、B、C、D、E、Fの6人の子どもがいる。6人の身長について ア〜オの5つのことがわかっている。このとき、一番背の低い子どもの身長を、次の1〜5の中から選びなさい。
ア：BはAより11cm高い。
イ：CはDより1cm低い。
ウ：EはBより2cm高い。
エ：FはBより7cm低く、Dより2cm低い。
オ：6人の中で一番背の高い子どもの身長は159cmである。

1 144cm　　**2** 146cm　　**3** 148cm　　**4** 150cm
5 152cm

問27
check✓
□□□
A、B、C、D、Eの5人が釣った魚の数は、ア〜エのようであった。このとき、魚を釣った数が3番目に多い人を、次の1〜5の中から選びなさい。
ア：BはAより40匹多い。
イ：AはEより4匹少ない。
ウ：CはDより12匹少ない。
エ：DはEより20匹多い。

1 A　　**2** B　　**3** C　　**4** D　　**5** E

問28
check✓
□□□
クラスで学級委員を1人選ぶことになり、A、B、Cの3人が立候補した。クラスの人数は40人で、それぞれ1名だけ記入して1票ずつ投票した。30票まで開票したとき、3人の得票数はAが6票、Bが9票、Cが15票であった。このとき、Cはあと最低何票取れば当選するか。次の1〜5の中から選びなさい。

1 2票　　**2** 3票　　**3** 4票　　**4** 5票　　**5** 6票

問 26　正解　2

　条件アより A → +11cm → B、条件イより C → +1cm → D、条件ウより B → +2cm → E、条件エより F → +7cm → B、F → +2cm → D であるからこれらを総合すると、A → +4cm → F → +1cm → C → +1cm → D → +5cm → B → +2cm → E である。一番背の高い子どもの身長は 159cm であるから、E の身長が 159cm ということになる。A と E の身長差は 13cm であるから一番背の低い A の身長は 159 − 13 = 146cm である。

問 27　正解　3

　条件アより、A + 40 匹 = B、条件イより、A + 4 匹 = E、条件ウより、C + 12 匹 = D、条件エより、E + 20 匹 = D である。これらを線図にして表わすと F のようになる。図より、3 番目に多く釣った人は C である。

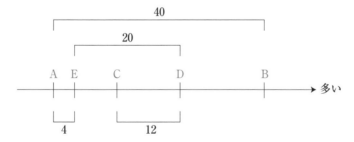

問 28　正解　2

　残りの 10 票をすべて B と C で取り合ったとしても、C が当選する票数を求めればよい。A が 6 票取っているので、40 − 6 = 34 票の過半数 34 ÷ 2 + 1 = 18 票を取れば当選する。今は 15 票なので、18 − 15 = 3 で、あと 3 票を取ればよい。

問29
check✓
□□□

A、B、C、D、Eの5人がそれぞれ違う数のおはじきを持っていた。その数を数えたらア〜オのようであった。

ア：Aは少ない方から数えて2番目だった。

イ：Bは5人の真ん中の人よりも多かった。

ウ：Cは一番多くもなく、一番少なくもなかった。

エ：DはAより少なかった。

オ：EはCとBの間だった。

このとき、数の多い順に並べてある組み合わせを、次の1〜5の中から選びなさい。

1　B → C → E → A → D

2　B → E → C → A → D

3　C → B → E → A → D

4　C → E → B → A → D

5　C → E → D → A → B

解答・解説

問29　正解　2

　条件アよりAは4位、条件エよりDは5位である。（表①）

　条件オよりEはCとBの間であるから2位とわかる。（表②）

　条件ウよりCは1位ではないので3位で、残った1位がBである。これはイの条件とも合う。（表③）

表①

1	
2	
3	
4	A
5	D

表②

1	BorC
2	E
3	CorB
4	A
5	D

表③

1	B
2	E
3	C
4	A
5	D

第6章

絶対決める！

文章理解

資料解釈

文章理解

問1
check✓
□□□

次の文章の内容と一致しているものは1〜5のうちどれか。

　これまで我が国において典型的であった年功賃金や長期雇用に代表される日本型雇用慣行は、我が国経済の発展に寄与するとともに労働者の雇用の安定にも大きな役割を果たしてきた。今後においても、仕事や労働者のタイプによっては依然として日本型雇用慣行が有効な場合もあるものと考えられる。

　しかしながら、経済成長が鈍化するとともに、企業をとりまく環境は多様化、複雑化していることから、企業経営においてもより多様な価値観、発想を取り入れていく柔軟性の高いシステムが求められており、これは、働く側の自立性重視の流れ、価値観や就業意識の多様化とも方向性が合致しているといえよう。高度経済成長期のような成長が見込まれず、労働者の年齢構成もかつてのような若い状況には戻らない中で、企業をとりまく環境や労働者の意識等を踏まえると、年功賃金や長期雇用慣行の下にあるかつての典型的なタイプの労働者の割合は減少し、仕事や労働者のタイプに応じた働き方が広がってくるものと考えられる。こうした観点から、今後、多様な働き方の選択肢を整備するとともに、働きに応じた公正な評価・処遇を確立し、個々の労働者が主体的にキャリア形成を図りつつ働き方を選択できるような環境整備を社会全体として進めていくことが必要である。

1 今後、働き方が選択できるような環境整備が整えば、高い経済成長が見込まれる。

2 今後の社会に必要なのは、労働者が多様な働き方を実現できるような環境を整備することである。

3 日本型雇用慣行はこれからの時代にはふさわしくないと考えられている。

4 働き方の多様化が進むと、これまで通りの典型的なタイプの労働者は見られなくなると予想される。

5 現在の企業をとりまく環境の多様化は労働者の要望とは一致していないものである。

問1　正解　2

1　✕　環境整備が必要であるということは書かれているが、10行目に、「高度経済成長期のような成長が見込まれず」とあり、一致しない。

2　○　最後の文に、「今後、多様な働き方の選択肢を整備するとともに、…労働者が…働き方を選択できるような環境整備を社会全体として進めていくことが必要である。」とあり、一致している。

3　✕　3行目に、「今後においても、…日本型雇用慣行が有効な場合もあるものと考えられる。」とあり、一致しない。全体の文章のイメージから判断すると、一致しているように考えてしまいがちだが、よく細かい表現まで考えると一致しない。

4　✕　13行目に、「…かつての典型的なタイプの労働者の割合は減少し…」とあるが、見られなくなるとまでは書かれていない。減少していくと、見られなくなるとは、似ている表現であるが、一致するとはいいきれないことに注意が必要である。

5　✕　7行目に、「企業経営においてもより多様な価値観、発想を取り入れていく…、これは、働く側の…とも方向性が合致しているといえよう。」とあり、一致しない。企業をとりまく環境だけではなく、働く側の変化についても記述があり、価値観や就業意識が多様化していると書かれている。

文章理解

問2 次の文章の（　　）の中に当てはまる語句の組み合わせとして最も適しているものは、1〜5のうち、どれか。

　　よく、定年退職したら暇ができるからそうしたら、世界文学全集を読んでやろうか、という話をよく聞きますが、六十歳になってから世界文学全集を第一巻からすべて読み切った人の話は聞きません。というのは、六十歳になってツルゲーネフの「初恋」や、ゲーテの「若きウェルテルの悩み」などを読んでも感動しないからです。人にはその（　A　）に応じて読むといい本というものがあるのです。

　　海外旅行もそうです。六十歳になったら女房と世界旅行をしようといっていても、今から旅行をしていなければ、言葉は大丈夫か、食べ物は大丈夫かと心配になって、結局おっくうになって行かないことが多いものです。だから、その前から慣れておかなければいけないのです。

　　というわけで、（　B　）じゃないですが、六十歳になってからではなく、五十代から六十歳すぎの定年後の準備をしておかなければならないと私は考えています。俳句でも、旅行でも、現役時代から慣れておかないと六十歳以降を上手にすごすことはできないのではないでしょうか。

	A	B
1	好み	体験期間
2	時期	助走期間
3	気持ち	猶予期間
4	感性	無駄な期間
5	能力	準備期間

問2　正解　2

A　（　　）の前に、「六十歳になって読んでも感動しないからです。」という記述があることから、**1**の「好み」や**3**の「気持ち」の問題ではないということがわかる。また、**5**の「能力」も年齢に応じるものとはいいきれない。

　2の「時期」という語句は、「六十歳になって」という年齢のことは、時期のこととともいい換えることができるので、最もふさわしいと考えられる。ただ、**4**の「感性」は、「感動しないからである。」という記述などから、可能性がある。

B　（　　）の前の「その前から慣れておかなければいけないのです。」と、後の「五十代から六十歳すぎの定年後の準備をしておかなければならないと私は考えています。」という記述から判断することができる。**4**とすると、五十代から定年後の準備をしておくことが無駄な期間ということになってしまい、「その前から慣れておかなければならない」という記述と矛盾するので、不適当である。**2**であれば、五十代を定年後の助走期間と考えるということになり、適当である。

　なお、**B**としては、**1**の体験期間、**3**の猶予期間、**5**の準備期間もけっして不適当とはいいきれないが、**A**から判断して**2**が適当であるとわかる。

資料解釈

問1

check✓

次の表は、ある飲食店の4月の月間売上高と月間客数を100として、半年間の月間売上高と月間客数を表わしたものである。この表から客1人当たりの平均売上高の低い月から順番に並べたもので正しいものはどれか。

	売上高（万円）	客数（人）
4月	100	100
5月	101	105
6月	115	110
7月	121	104
8月	130	114
9月	118	103

1 4月 — 5月 — 7月 — 8月 — 6月 — 9月
2 6月 — 4月 — 5月 — 9月 — 7月 — 8月
3 5月 — 4月 — 6月 — 8月 — 9月 — 7月
4 4月 — 5月 — 8月 — 6月 — 7月 — 9月
5 5月 — 6月 — 4月 — 7月 — 9月 — 8月

問1　正解　3

　客1人当たりの売上高は、売上高÷客数で求めることができる。そのようにして求めた、各月の客1人当たりの平均売上高は、次のとおりである。

4月　$\dfrac{100}{100} = 1$

5月　$\dfrac{101}{105} ≒ 0.96$

6月　$\dfrac{115}{110} ≒ 1.05$

7月　$\dfrac{121}{104} ≒ 1.16$

8月　$\dfrac{130}{114} ≒ 1.14$

9月　$\dfrac{118}{103} ≒ 1.15$

　これを低い順に並べると、5月―4月―6月―8月―9月―7月となる。

　よって、正解は**3**である。

資料解釈

問2
check ✓

次の表はある学校で行ったテストの得点の分布を男女別に示したものである。この表から正しくいえるものは次のうちどれか。

	90点以上	89～80点	79～70点	69～60点	59点以下	合計
男(人)	5	10	15	6	14	50
女(人)	6	8	12	2	12	40

1 男子と女子の70点以上の得点者の割合は同じである。

2 女子の59点以下の得点者の割合は男子より低い。

3 男子の90点以上の得点者の割合は男子と女子を合計した全体の割合と同じである。

4 女子の69～60点の得点者の割合は男子と女子を合計した全体の割合よりも低い。

5 平均点は男子よりも女子の方が高い。

問2　正解　4

　男子は50名、女子40名、合計90名でそれぞれの得点の割合を計算すると次のようになる。

	90点以上	89～80点	79～70点	69～60点	59点以下
男子	10.0%	20.0%	30.0%	12.0%	28.0%
女子	15.0%	20.0%	30.0%	5.0%	30.0%
全体	12.22%	20.00%	30.00%	8.89%	28.89%

　この表から、選択肢を検討する。

1　×　70点以上の割合は男子が60％、女子は65％で**女子の方が高い**。

2　×　59点以下の割合は女子30％、男子28％で**女子の方が高い**。

3　×　90点以上の割合は男子10％、全体では12.22％で**全体の方が高い**。

4　○　69～60点の割合は女子5％、全体では8.89％で**女子の方が低い**。

5　×　この表からは個々の得点はわからず、得点の合計は計算できない。したがって平均点も計算できない。

　以上から、正しくいえるものは**4**である。

●編著者
L&L 総合研究所

License & Learning 総合研究所は，大学教授ほか教育関係者，弁護士，医師，公認会計士，税理士，1級建築士，福祉・介護専門職などをメンバーとする。資格を通して新しいライフスタイルを提唱するプロフェッショナル集団。各種資格試験、就職試験を中心とした分野、書籍・雑誌・電子出版，WBT における企画・取材・調査・執筆・出版活動を行っている。

本書の内容に関するお問い合わせは、**書名、発行年月日、該当ページを明記の上、書面、FAX、お問い合わせフォームにて、当社編集部宛にお送りください。電話によるお問い合わせはお受けしておりません。**
また、本書の範囲を超えるご質問等にもお答えできませんので、あらかじめご了承ください。
　FAX：03−3831−0902
　お問い合わせフォーム：https://www.shin-sei.co.jp/np/contact.html

落丁・乱丁のあった場合は、送料当社負担でお取替えいたします。当社営業部宛にお送りください。
本書の複写、複製を希望される場合は、そのつど事前に、出版者著作権管理機構（電話：03-5244-5088、FAX：03-5244-5089、e-mail：info@jcopy.or.jp）の許諾を得てください。
JCOPY ＜出版者著作権管理機構 委託出版物＞

絶対決める！
消防官〈高卒程度〉採用試験総合問題集

編著者	Ｌ＆Ｌ総合研究所
発行者	富永靖弘
印刷所	今家印刷株式会社

発行所　東京都台東区 株式 新星出版社
　　　　台東2丁目24 会社
　　　　〒110-0016 ☎03(3831)0743